SA ... RY
S0-BMD-867
SACRAMENTO, CA 95814
02/2024

IT'S A LONG
JOURNEY

你也走了很远的路吧

增订本

卢思浩

作品

CNS PUBLISHING & MEDIA
湖南文艺出版社
HUNAN LITERATURE AND ART PUBLISHING HOUSE
博集天卷
CS-BOOKY

It's
a Long Journey

我最好的朋友，

终于找到了自己的幸福。

你也走了很远的路吧

It's a Long Journey

刚刚和你一起看星星，我觉得很棒。

我知道你眼里的那颗星星不是我，

可我还是喜欢你。

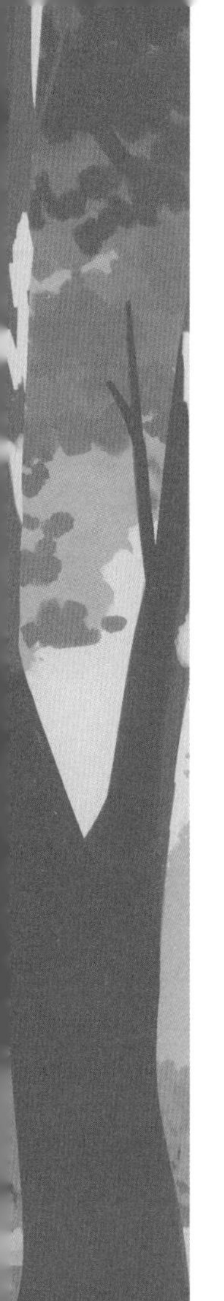

你也走了很远的路吧

It's
a Long Journey

只要奶奶还在，

我总觉得这个地方还能再回来，还有再回来的理由。

只要奶奶还在，

那些童年的回忆，就不会彻底地离我远去。

有他们在你的身边，你就知道，

再难过，天也不会塌；

真塌了，他们也会替你顶着。

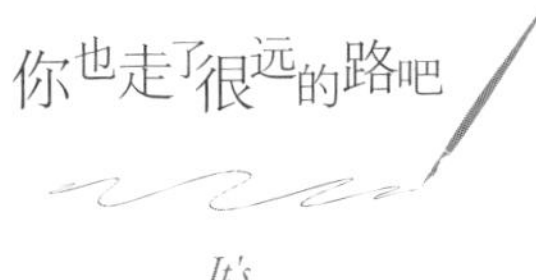

你也走了很远的路吧

It's
a Long Journey

整个世界都不在乎这只流浪狗，

直到它遇到她。

整个世界都不在乎青青的感受，

直到她遇到它。

It's
a Long Journey

It's
a Long Journey

你要忍，忍到春暖花开；

你要走，走到灯火通明；

你要看过世界辽阔，再评判一切是好是坏；

你要铆足劲变好，再站在不敢想象的人身边，与之旗鼓相当；

你要变成自己想象中的样子，这件事，一步都不能让。

再版序
Reprint Preface

这世界人来人往，每次相遇都需要缘分，人和人如此，人和书也是如此。

五年前出版这本书，有很多人与它相遇，它陆陆续续地陪伴许多人度过了难熬的黑夜。

我想你可能是在某天无聊上网的时候看到了这本书里的一个句子，又或者是某天下午去书店的时候偶然拿起了这本书。

仔细想想，如果那天下午有人给你发了一条信息，如果你多走了一个路口，这本书就无法与你相遇了。

谢谢缘分的眷顾，也谢谢你愿意阅读这本书。

因此我相信，每次相遇都有意义，每一个落在纸上的文字都有它该去的地方。

《你也走了很远的路吧》是写给每个漂泊的人的。

这里面的悲欢离合、获得和失去，或许也都是你所经历过的。

失去的已经失去了，未来的仍然在未来。

我们需要拍拍身上的灰尘，整理好自己的情绪，继续向前走。

如果你暂时没有力量站起来，那么这本书里的文字，或许能轻轻拉你一把。

就好像我昨天晚上走在路上抬头看，看到了几颗星星。生活有

时候很糟糕，但好起来的时候，又会让我不经意地觉得，好像一切没那么糟。

曾经我想啊，如果有一种可以捕获星星的捕星网就好了，只消在天空轻轻一挥，就能捕获好几颗明亮的星星。后来我想啊，其实也不用天上的星星，只要看到身边努力的人就好了。认真的人，眼里就有星星。

希望你眼里的星光永不消逝。

也希望这本新版的《你也走了很远的路吧》，能让你看到自己眼里的星光。

能用文字的方式陪你走过一段路，是我的荣幸。

那我们书里见。

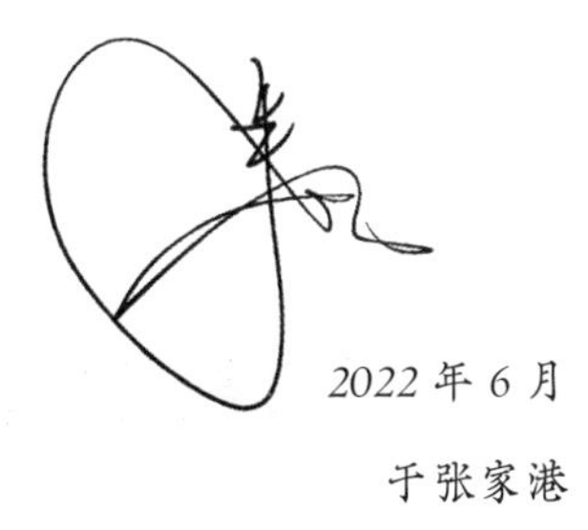

2022 年 6 月

于张家港

写在前面的话

Words Written in Front

这是一个奔波的时代。

我们不停告别，又不停重新出发，有些话还来不及讲，就已经分道扬镳。

人变得越来越冷淡，很多话找不到人讲，于是什么都埋在心里。

就好像你有千万条微博想写，可也不敢说什么，只能发很多个“哈哈哈哈”，把真话埋在嬉笑里。

就好像你有千万句话想说，可一点开那个对话框，才发现根本打不出一个字。

于是你才明白，原来你从一开始就怕被别人看穿，所以宁可孤独。所以你宁可每天嘻嘻哈哈，也不要被人看出来你真的难受过。

只有在最深的夜里，你才能够允许自己难过。

前几天，看到朋友在凌晨发了条朋友圈：“下午在高铁上得知外公病重，想着签售完就立马飞回重庆，可刚刚妈妈发信息说外公已经走了。人生有多少次来不及，唯一的安慰是，他终于可以和外婆相聚了。”

我不知道该说什么，想起我奶奶走的时候，我正坐在从墨尔本飞回上海的飞机上。我也就是这样，错过了和奶奶人生的最后一面。

人们说，节哀顺变。

人们说，你还有自己的生活。

我们点头，然后把自己埋在工作里。

然后在某个夜里，想起曾经跟亲人在一起的日子。

还有一天凌晨，我在北京看到一个小伙子在街边痛哭流涕。他西装革履，手里拿着公文包，地上却撒满了文件。他看着比我大不了多少，一边打着电话一边一个人默默地捡起文件。

又一次在火车上，听到一个姑娘给爸妈打电话："对不起，妈，我知道我说好了要赚钱了才回来。对不起，但是我不后悔……"

有天夜晚，朋友给我发信息，说："我熬不下去了，可是还有很多事情没做完。我好想离开北京，我想把我该死的梦想抛下，真的。"然后她说："可是为什么那么多次，那么多次我说要离开北京，我却没有收拾行李呢？"

还有一个朋友，白天嘻嘻哈哈，晚上却销声匿迹。

只是在某天夜里，她分享了一首歌到朋友圈，说了句："可惜你也不会再听了吧。"

孤零零地在那里，不知道有没有人评论。

后来我们才知道，她跟原本要结婚的那个人分开了。那时她正跟他一起在澳门买戒指，她拿着朋友发的聊天记录给男友看，男友扑通一下跪在地上。

然后她订了当天的机票，一个人回家。

我想她大概也在深夜痛哭过。

我想你大概也在深夜痛哭过。

孤独是，某天突然下雨，你走在街上，只有你一个人没有带伞；加班到深夜的你饥饿难耐，却发现周边所有便利店都关门；期待很多年的电影今天上映，却怎么也找不到人陪你去看；深夜想要找一个人聊天，翻遍通讯录却找不到人说话。走过了那么远的路，再也找不到人分享风景。

我知道的，因为我也经历过。

我知道世事无常，反而想用力珍惜；我看到太多绝望，反而读懂了希望。

我经历过漫长的孤独，反而找到了真正重要的东西。

是那些陪在身边的朋友，是那些你不用说什么就能懂你的人，是那些你内心的渴望。

是那些藏在你心里某个角落，让你回想起来就能嘴角上扬的事情。我们成长，我们遗忘，我们弄丢回忆，我们无能为力。可日升日落，潮退潮涨，永远有前路，等待前行的人。

如果你愿意把这本书读完，那我想我们都是一样想要前行的人。

即便这是一个奔波的时代。

即便我们东奔西走，付出越来越谨慎，经不起时间浪费；真心越来越难得，耗不起日日夜夜。

可我知道的，你也曾像那迷路的星星，试着想要把黑夜照亮。明明没有人看得到你，你也一腔孤勇向前走着。

我知道你的梦想，也被生活打击过。

我知道你的那颗真心，也被人伤害过。

我知道你也曾收拾行李，买了车票，清空所有痕迹，想要从一个城市逃离。

那么你或许也一直希望可以重新燃起对一些事物的热情，因为喜欢本身就是一件美好的事。

那么这本书送给你。

没关系，就算难过，明天也要满血复活。

因为你不是那唯一一颗迷路的星星，就算你照不亮他的黑夜，我也能看到你。

如果有人问你，为什么还要看纸质书，为什么还要写信，为什么还要不远万里去见一个人。

你告诉他：“我偏要在这个薄情世界里，深情地活；在这个快节奏的时代里，按照自己的节奏活着。”

Part 1
将故事写成我们

当你很喜欢一个人的时候，你会希望他能参与你的生活，你会希望你的所有情绪他都能有回应。

Part 2
最好的我们

刚刚和你一起看星星，我觉得很棒。

我知道你眼里的那颗星星不是我，可我还是喜欢你。

Part 3
即使岁月留不住

我终于明白，

这世上真的存在“来不及”。

Part 4
最长的电影

在一起，意味着我从今以后的人生，愿意分你一半。

这句话，不只是陪伴，还包含着信任。

Part 5
岁月如歌

还好你还在。

所以我也要继续好好生活。

Part 1
将故事写成我们

当你很喜欢一个人的时候，你会希望他能参与你的生活，你会希望你的所有情绪他都能有回应。

说你愿意为了我留下来

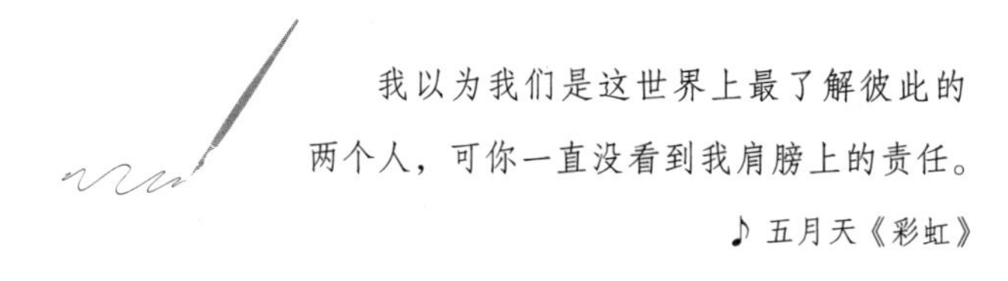

我以为我们是这世界上最了解彼此的

两个人，可你一直没看到我肩膀上的责任。

♪ 五月天《彩虹》

一

故事发生在很久以前，却在很久以后才被讲述。

二〇〇三年的九月，王辰本该去大学报到，可由于非典，新校区没有及时完工。

等到十月的时候，他才真正迎来了大学生活。

他满怀期待地到新校区报到，却发现这所谓的新校区看起来简直就像是一些临时搭建的房子。

自习室的屋顶还没有建好，待在这里自习王辰总觉得不踏实。隔壁是一间简陋的画室，虽然简陋，但好歹没有任何异味，还有屋顶，他稍一琢磨，最后决定投入画室的怀抱。

只是作为哲学专业的学生，总不能堂而皇之地在画室研究哲学，于是他假模假样地买了A4纸和画画用的铅笔，每次都会随便画上几笔，然后假装灵感枯竭，偷偷研究起落下一个月的哲学课程。

好在那时每个人都想拼命地赶上学习进度，倒也没有太多人注意到他。

直到有一天一个姑娘走到他跟前，问："同学，你画的是什么？"他一瞅自己画的是一条鱼，还是简笔画的那种，心里一凉：这情况得怎么圆场？

他只好瞬间拿起哲学课本夺门而出，只听到姑娘在后面大喊："同学，同学，你的画没拿。"

这个姑娘后来变成了他的初恋。她叫天琪，王辰让我们都叫她甜七。

为什么呢？因为王辰说天琪让他觉得每个星期的每一天都很甜蜜。

是的，当我后来听到他这个解释的时候，我没有忍住，恶心得逃跑了。

二

一个星期后，学校进行例行体检。王辰因为踢球迟到，赶到医务室的时候全校只剩下三个人没做完。

他就这样又遇到甜七。

还是甜七先跟他打招呼：“哎，你就是那个逃跑的同学吧？”

王辰摆摆手，说：“不好意思，你认错人了。”

甜七说：“不可能，就是你。”

王辰想起逃跑的场面羞愧难当，嘴硬说：“不对啊，我戴了口罩，你怎么确定那个人就一定是我？”

甜七笑着说：“因为我认得你的眼睛啊。”

王辰的心被这句话瞬间击中，从此陷入爱河。

可他还没来得及再跟姑娘多聊几句，就听到医务室的老师叫他的名字，只得匆匆告别，连个联系方式都没留。两人再一次错过。

从此医务室成了他最讨厌的地方。

自那天起，王辰如同着了魔一般，甜七的身影在他脑海里挥之不去，吃饭的时候会想起，睡觉的时候梦里还是甜七。他在脑海里虚构了无数个跟甜七再次见面的画面，为此还跑去画室蹲点。这一次为了伪装得更彻底，他一咬牙买了全套绘画工具，花光一个月预算，吃起泡面。没想到还没等到他用上那套昂贵工具，他就再次遇到了甜七。

这一年，学校成立了据说是有史以来的第一个环保协会。王辰本想参加足球队，奈何他技术欠佳，挣扎了三天发现只有环保协会还招人，就硬着头皮报了名。

新人大会时，他又因为踢球迟到，成了最后一个赶到新人大会的人。

会长是个女生，倒也没和他多计较，对他说："那你就坐到最后边吧。"

他连连道歉，走向最后一排，一眼看到坐在倒数第三排的甜七。天赐良机，于是他厚颜无耻地无视最后一排的空位，硬要坐到甜七身边。

坐下后他捅捅甜七的手，说："又见面了，真巧。"

甜七看着他的眼睛，说："是啊。"

他紧张地做起自我介绍，说："我是王辰，王八的王，星辰的辰。"

甜七笑得合不拢嘴，说："哪儿有人说自己是王八的？我叫天琪，天气的天，王字旁的琪。"

会长在台上咳嗽了一声，说："谈恋爱的朋友请忍耐一下，现在我在介绍规章制度。"

这次换王辰笑得前仰后合。

那天他们正式认识，甜七说的每一句话，王辰都记得。

后来他跑回操场死活要来了那个让他迟到的足球，说那是他的幸运球。

三

两个人开始频繁见面，不见面的时候也每天互发信息。

有一天，甜七突然不回信息了，王辰如坐针毡，开始反复思考之前的相处模式，生平第一次对自己产生了怀疑。

难道是我哪里做错了？

他又抽了自己一巴掌，想，不可能，老子这么完美怎么可能做错呢？一定是因为其他问题。

说服自己的他决定在画室等，买的那一套绘画工具终究有了用处。

他如愿等到了甜七，打完招呼，试探性地问她："你怎么没回我信息？"

甜七拿出手机，愁眉苦脸地说："我手机按键坏了，发不了短信。”

王辰抢过手机说：“包在我身上，我去给你修。”

那一年，甜七用的那款手机是周杰伦代言的第一款手机，蝴蝶姬。

很漂亮的一款小手机。

而王辰用的是诺基亚 6610，是他用的第一款彩屏手机，平日里小心对待，舍不得有一点磕磕碰碰。因为修手机要去市里，王辰想都没想就把自己的手机给了甜七，又一个人奔赴松下的售后服务处。

找到客服，客服说能换，但要等一个月。

王辰灵光一闪，赶紧给甜七打电话，说：“我给你换了新手机，可新手机要一个月才能到货。这样，你先用我的手机，我就先用着你的，反正我除了给你发信息以外也不给别人发。你想我了就给我打电话，电话功能没坏。”

甜七在电话另一头脸唰地就红了，说：“谁想你了。”

王辰趁热打铁，说：“你可以当我女朋友吗？”

甜七在电话那头沉默五秒，王辰脑海里一片空白，伴随他的只有自己扑通扑通的心跳声。

沉默过后，甜七下定决心似的说：“好。”

就这样两人在一起了，王辰那个月每次碰到哥们儿就会炫耀自己的手机。

蝴蝶姬是红色的，模样和大小也不适合一个男孩子用，正当哥们儿准备向王辰投去鄙夷的眼神时，王辰说："这是我女朋友的啦。"

所有人叹服。

哥们儿又问王辰是怎么追到女朋友的，他就把故事经过说了一遍。

所有人跪服。

故事听到这里，我掀桌而起："你大爷的，你这个故事我不听了！"

王辰拉住我，说："别别别，你听完，我真的太久没讲这个故事了，你不让我讲完我难受。"

我说："那你还虐不虐单身人士了？"

他说："不虐了不虐了。"

很好，卢思浩心满意足地坐下来继续听故事。

四

几个星期后环保协会组织水质调查，王辰心想反正没什么事做，就替甜七报了名。

活动当天一大早，王辰打电话叫醒甜七。

电话那头传来甜七虚弱的声音："你怎么不早告诉我，我今天有点不舒服……"

王辰说："在学校太闷了，去吧去吧，肯定很好玩，一会儿我去你宿舍楼下等你。"

甜七想了想，还是答应了。

回校的车上，王辰偶遇初中同学。他乡遇故知，王辰特别激动，这厮本来就嘴贫，从来没有不说话的时候，加上好几年没见，于是只顾着和老同学聊天，忽略了甜七，连甜七晕车都没发现。

甜七或许也是生着王辰的气，就这么忍了一路。

等到下车时，甜七刚想站起来，却突然腿一软，瞬间头晕目眩，吐了起来。

王辰赶忙一把抱起甜七，一路飞奔到医务室，医生一看这场面瞬间慌了神，颤颤巍巍地拿起体温计。最坏的情况发生了，甜七发烧，39℃。

王辰想陪甜七挂点滴，医务室的医生却说，虽然非典已经过去一段时间了，但以防万一，甜七要被隔离起来一个人挂点滴，等退烧。

王辰急了，说："这规定是谁定的？？"

医生给了他一个白眼。"不服气啊？不服气去找校长啊。"

甜七说："没事的，再说就只是在房间里关几天，有事我们打电话。"

王辰没听进去，转身就跑，一路冲到校长室，非要跟校长讨个说法。他说，甜七是因为下午考察水质着了凉，再加上晕车不舒服，一个普通的发烧而已。她压根没有接触病源的机会，凭什么把人家一个小姑娘关起来？

校长刚开始还和颜悦色，说："这是规定，我们也只是以防万一，再说发烧本就该静养，也不该出去到处走。"

现在想想，道理是这个道理，但当时的王辰哪儿听得进去，他只是想到好几天都会见不到甜七，就念叨了一句："万一个屁，垃圾规定。"

校长不乐意了，说："这位同学，你注意你的态度，我没叫保安把你赶走就很不错了。"

王辰怒从心中起："我怎么了？我说错了吗？就是傻 × 规定。行，你们都嫌弃她，老子不嫌弃。"

校长一看王辰这德行，立马叫了学校保安，要把王辰赶走。

王辰拼命反抗，推搡中手机从口袋里滑落摔到地上，机壳瞬间脱落。王辰挣脱开来，大声喊："这是我最重要的手机！"

摔坏的手机就是甜七之前用的那部蝴蝶姬。

王辰没闹出个好结果，也瞬间没了心思，一心只想修复手机，跑去市里找到客服，客服说："这手机不是本来就不好使吗？你再等几天，新手机就到了。"

王辰说："你不懂，真的没办法修复了吗？"

客服面露难色，摇了摇头。

晚上王辰回到宿舍，脑海里又浮现出甜七虚弱的样子，恨不得马上冲到甜七身前。

这时他突然灵光一闪，脱光衣服开始给自己冲凉水，又冲出宿舍站在寒风中。

室友被他吵醒，看他那架势还以为他疯了，拼命拉住他问："你干吗？发疯啊？"

王辰愤愤地说："他们不是都不让我去看甜七吗？老子就把自己也弄发烧，我也到医务处隔离去！"

室友若有所思，感叹："你这是真爱啊，服。"

第二天一早，王辰忍着头疼冲向医务室。

他拉住医生，说："医生，我发烧了，你快看看我体温多少！"

体温量完，38℃。

医生眉头紧锁，说："这是被传染了啊。"

王辰喜出望外，说："医生你看我这情况是不是也得隔离几天？"

医生点头，王辰第一次对这医生有了好感。

他简直是一路小跑跟着医生走到一个房间，却只看到一个空空的床位。

他问："昨天的人呢？"

医生一脸无辜地说："同学，你不知道吗？男同学跟女同学，肯定是分开的啊。咱们新校区别的没有，空的房间有好多。"

"哈哈哈哈！"听到这里我忍不住笑出声来。

王辰白了我一眼，说："我哪儿知道男女隔离是要分开的！"

这下好了，连借室友的手机给甜七打电话的机会也没了。

几天的隔离期，过得像是几年那么长，连窗外的月亮都无趣了起来。

隔离期结束，王辰冲到女生宿舍门口，在所有人异样的眼光和宿管阿姨的指责声中拉着甜七就走。

他们一路逃到附近大楼的楼顶，两人在楼顶坐着，王辰想告诉她这些日子自己有多想她、多担心她，可话到嘴边就是说不出口。

他太自责，说："都怪我。"

甜七笑着说："我也不好，不舒服就不应该硬撑着。"

两人看完日落看月亮，甜七累了就靠在王辰的身上，王辰一把把甜七抱住，那一刻他觉得什么都不用说了，她一定都懂。

他甚至觉得，就在这个时刻，这世界上的某处一定有一束烟火正在放着，而这束烟火是为他们放的。

（友情提示：故事发生于二〇〇三年，年代久远，情况与现在不同，王辰的做法非常不可取，还请大家不要模仿，遵守防疫规定。）

五

大三那年，有一天王辰对甜七说要给她个惊喜。甜七不明所以，被王辰拉着就走。

到了一栋居民楼楼下，甜七终于忍不住开口问："你要给我的惊喜是什么？"

王辰松开手，指了指楼上，说："我租了一间房子，我们同居吧？"

甜七愣在原地，显然没意识到是这样一个惊喜。

王辰说："我想每分每秒都跟你在一起。"

甜七本来还在犹豫，看到王辰的眼神后瞬间投降，用力点了点头。

两个人开始布置出租屋，一起逛小商品市场，一起淘那些家居用品，一起布置家里的每一个角落。

慢慢地，这个看似简陋的出租屋也有了亮色。

正式搬家的第一个晚上，甜七说："我也有一个惊喜要给你。"

王辰说："什么惊喜？有我给你的惊喜大吗？"

甜七抿着嘴唇从包里拿出一张纸，是他们最初相遇时的那幅画。

王辰瞪大了双眼，说："这张纸你居然留到现在？"甜七点点头。

王辰用力抱紧了甜七，满是幸福。

同居的生活平淡如水，两个人一起骑车上课，再一起回他们俩的小家。

有一天周末，合肥的天气正好，王辰说："甜七，不如我们去公园吧。"

甜七面露难色，说："我这周跟我妈约好了，要回去看她，下午的车票都买好了。"

王辰说："看妈妈什么时候都可以啦，你看今天难得天气这么好，你陪我去嘛。"

甜七的"可是"刚说出口，王辰不由分说拉起甜七的手就出了门。

时光如水，转眼大四，两个人到了该做选择的时候：毕业之后去哪里？

王辰想的是，去南京，因为他从小对南京就有不一样的情感，也对甜七反复提起过。

甜七想的是，留在合肥，因为他们都是安徽人，毕业之后就在这里结婚。

他们从来没有想到两个人的回答会不一样。

短暂又坚实的沉默。

甜七先妥协："那我们就分开考公务员，我先考合肥的，你先考南京的，反正不远。等稳定了，我们再考虑到底在哪里定居。"

王辰不肯让步，说："你陪我去南京，我想让你陪在我身边，我们一起考南京的公务员。"

甜七抿着嘴唇摇摇头，说："不行，你知道我妈妈最近身体不好……"

甜七想了想又说："实在不行你等我，过几年等家里情况好转了，我就去南京找你。"

王辰说："可我想这几年你一直陪着我，谁知道以后会发生什么。"

那是他们恋爱三年以来，第一次有分歧。

王辰一直是这么以为的。

以为只要他说一句话，她就会跟着他，就像以前的每一天、每一个决定一样。

他以为所谓的爱情就是这样，他们是彼此血液的一部分，她会一直陪在他身边。

于是两人开始为这件事情发愁。

他们也不争吵，看起来还是恩爱如初，只是每次提到这件事情时，两人都不说话。

直到再也拖不下去，乌云终究要落成雨，这件事情不可避免地被提上日程。

甜七说："能不能为了我留下来？"王辰不说话。

甜七说："说你愿意为我留下来好吗？"王辰不说话。

甜七说："那你说，说你去了南京还会回来。"王辰摇了摇头。

甜七第一次在王辰面前哭。

那一天是情人节。

甜七说过自己不过情人节，因为那是情人节，又不是恋人节、爱人节，她又不是王辰的情人，她才不要过。

王辰在出门之前对甜七说："今天是情人节，反正你也不爱过，我出去透口气，我们好好想想。"

王辰从来没有想过妥协这个选项。

他把自己的手机电池取了下来，找了一个哥们儿家住了一晚。

他用自己的方式给甜七施压，让她早日下定决心。

在他看来，只要两个人在一起，在哪里生活不一样？

他习惯了她的好，以为这就跟呼吸一样自然，只要她联系不到他，她就会自己想通。

王辰以为自己胜券在握。

那时的他还不知道，这是自以为成熟的他最大的幼稚。

第二天他打开手机想要联系甜七时，却发现甜七的手机是关机状态，怎么也打不通。

他瞬间什么声音都听不见了，明明哥们儿在问他怎么了，可他无法回应。

这是他第一次有了不好的预感，心脏急速下沉，胸口也闷得喘不过气来。

回过神后，他连外套都没穿，一身睡衣就冲着他俩的家跑去。没有人在。

王辰拿出手机，一个个打给朋友，终于通过她的一个朋友联系上她。

王辰说："甜七，你回家好不好？"

甜七说："你知道我当时联系不上你的心情了吗？"

王辰说："别闹。"

甜七先是难以置信，而后又无奈地笑出声来，说："你到现在都还觉得我在闹是吗？王辰你给我听好了！我俩分手！"

六

那天王辰一夜没睡，不停地坐起，根本躺不踏实。

天还没亮，他就去找自己最好的朋友，风尘仆仆地赶去他家。朋友不明就里，只好带着王辰去找甜七。那时还没有那么多出租车，王辰只能坐公交，每过一站他的心就颤一下。

半小时的车程显得无比漫长。还好朋友在身边，不然他都不知道，自己这一路会胡思乱想到什么地步。

但他还是想起以前有一次他跟甜七聊天，也不知道为什么就聊起了分手的话题。

甜七说："要是我俩真分手了，我就当一个很爱你的朋友，我离不开你。"

王辰说："这世界上没有谁离不开谁。"

为什么当时他要这么说呢？他也不知道。

终于到她闺密家楼下，等了很久没等来甜七，只等来了她闺密。

对方拍拍他的肩膀，说："回去吧。"

王辰说："你告诉甜七，我死也不回去。"

又不知道等了多久，他的手机终于收到了一条信息，是甜七的。

他兴奋地打开，甜七是这么写的：“马上过元宵节了，你快回去，有话以后再说，你先看看你爸妈。”

王辰回：“我不，我就要你现在下来。”

甜七回复：“你知道吗？这么多年你一直没明白，不是每个人都有你这样的条件。你的条件允许你轻松自由，这没关系，最让我难过的是，王辰，我以为我们是这世界上最了解彼此的两个人，可你一直没看到我肩膀上的责任。我们是成年人了，拜托你长大好不好？”

那些话把王辰的防线彻底击溃。

在很多没有结局的故事里，女生总是比男生更成熟。

所有的回忆像是泡沫般不停涌现，然后碎裂。

他早该想到这些天甜七有多挣扎，他早该想到那天甜七肯定打了无数个电话给他，一次次地听到关机的提示声，一次次地失望，一次次地难受，慢慢变成绝望。

你知道吗？对一个人的失望，是积分制的。

为什么那些平日看起来可能与你相安无事的人最后选择离开？

因为她早就在心里给了你无数次机会，只是你从来没有把握住。

失望变成绝望，就意味着放弃。

七

后来王辰写了一本书，在扉页上写下甜七的名字。那已经是五年后的事情了。

他回到了合肥，想尽一切办法找到了甜七的联系方式，想要把这本书给她。

可远远见到她的一瞬间，王辰自己把书撕了。

听到这里我问："为什么不把书给她？"

他说："有时候你满腹心事，对面的已经不是那个你想向其诉说的人。有些事就是这样，一眼万年，沧海桑田，那些所谓的补救办法，不去做也许更好。没有结局的故事，就让它留在风里吧。"

那一瞬间他想起以前两人一起看书一起准备考试，一起租房子一起去学英语。他想到自己刚开始准备考研时，甜七虽然知道他要去南京，但还是陪着他一起准备。

他还想起自己说，没有谁离不开谁。其实那几年，一直是他离不开她。

最后他离开合肥时，遇到了两人当年共同的好朋友。

她见到王辰之后叹了一口气，说："你知道吗？你的初恋是学校最好看的姑娘，谁都没想到她居然被你搞定了。"

她还说："你知道吗？我一直都替你们俩遗憾，或许你再也找不到愿意陪着你的姑娘了，而她或许再也找不到像你一样细心的人了。"

王辰说："没什么，是我不配。"

她叹口气，说："你别回来找她了，我知道，你经得起波澜，可是她经不起了。她好不容易彻底忘了你，开始了自己的生活，你一出现，她又要从头开始了。"

王辰点头，什么话都没有说。

那天他回了南京，找我去他家喝酒，给我讲完了这个故事。故事讲到最后，他拿起酒杯一饮而尽，冲进厕所洗了把脸。我不知道他是不是要掩饰自己的眼泪。

他说，十年了，都快十年了。我在一旁不知道该说什么。

他说那年情人节的情景，总能出现在他脑海里，变成梦境，他分不清真假。

梦里的甜七问："能不能为了我留下来？"

王辰说："可以。"

甜七继续说："说你愿意为我留下来好吗？"

王辰一字一顿地说："我愿意为了你留下来。"

然后他就醒了。

我瞥见他的柜子里放着一个足球，突然想起我喜欢的歌里有这么一句歌词：

我张开了手，却只能抱住风。

告别是看到那些美好，再也不会跟你说了

后来走廊被黄昏染色，冬天被大雪唤醒，思念被歌曲收藏，却找不到分享的人。

♪ Lady A “Need You Now” [1]

一

杨小毛是个摄影大神。

当年她还是一个摄影小白时，常常拿着傻瓜相机到处试验。

有一次我们一起去厦门玩耍，她自告奋勇当起了摄影师，她男朋友李诚责无旁贷，充当模特。

那天天气很好，小毛说：“老李你站到那个石头边上去，来来

1　中译名：战前女神乐队《此刻需要你》。

来，你假装你左侧 45 度方向来了你的心上人，就往那边看。”

老李哭笑不得：“我爱的人不就在我正前方吗？你让我怎么往左侧看？”

小毛说：“你别来这一套，为了艺术，我甘愿你这一秒钟的恋人不是我。”

我们在一旁目瞪口呆。

更令人瞠目结舌的是，杨小毛同志突然间劈了个叉，我们惊恐地问：“小毛……你的腿疼吗？”

小毛给我们翻了个大白眼，说：“你们懂个屁，这叫摄影角度！”

回来后我们一起导照片，我眯着眼睛端详半天，疑惑地问：“小毛，这张照片老李在哪里？”

小毛指指照片的右下角，说：“不是在这里吗？”

我认真辨认，终于凭那脱离地心引力的三根头发辨认出了老李。

我瞬间对杨小毛佩服得五体投地。

二

杨小毛突然想学摄影的原因是，她想把每天看到的东西都记录给老李看。

因为那一年去厦门的旅行，正是老李的毕业旅行，很快他们就要暂时分开。

小毛比老李小三岁，毕业对她来说还很遥远。

那之前有一天我们深夜失眠，在群里你一句我一句地聊天。

老陈说："小毛啊，异地恋可是很危险的，你看看老卢，因为常年在国外，所以没有人喜欢他。"

我说："小毛啊，异地恋可是很危险的，你看看包子，因为常年漂泊，喜欢的人就跟他分手了。"

包子说："小毛啊，异地恋可是很危险的……等等，我分手是因为我常年漂泊吗？逻辑呢?!"

老李赶紧打岔，说："呸呸呸，你们别乱讲话。"

又看小毛很久没说话，就说："没关系啊，现在科技多发达，你把日常生活拍给我看，不就跟我们每天在一起一样吗？"

老李可能只是随口一说，小毛却默默背起相机，从此开始记录起生活的每个细节。

过了半年，到了冬天，那年的上海下了场大雪。

她冲出家门在大雪里一阵狂拍，活蹦乱跳的，像个孩子。

老李看到照片后打电话给小毛，哈哈哈笑着说："小毛，好端端的大雪，怎么被你拍得跟头皮屑似的。"

小毛说：“你嫌弃我拍照难看，那你回来啊，你回来啊。”

第三天，老李竟真的从北京飞回了上海，小毛开心地把我们都叫上，一起吃了顿火锅。

回去途中又开始下雪，小毛突然跪下来说：“老李同志，你将来愿意娶我吗？”

老李乐了，说：“小毛同志，你怎么了？”

小毛急了，说：“你管我怎么了，你就说你愿意不愿意。”

老李说：“好啊。”

小毛乐不可支，说：“太好了，这下看你怎么逃。”

包子抢过小毛手里的相机，绕着他俩转了一圈又一圈，假装自己是专业摄影师。

小毛笑着说：“包子，你这么一圈圈转得累不累？”

他躺在地上气喘吁吁，说：“你懂个屁，这叫摄影技术！”

接着他说：“老李啊，我可是用电影的手法把这画面拍下来了，你赖不掉。”

老李哈哈笑，牵起小毛的手说：“不会的。”

我和老陈在一旁看着，老陈突然下定决心似的，说：“我想去南京。”

我问：“去南京干吗？”

他说：“追大丁。”

我记得那一年，是二〇一一年。

我们热泪盈眶，热血热情，一个人也像千军万马，活得热烈。

三

二〇一二年我去北京，老李招待我。

好朋友好久没见准备去喝一杯，去之前我正好在跟小毛聊天。

我说：“小毛，我见到你家老李了，一会儿我们去喝酒，嫉妒吗？哈哈哈。”

小毛回：“老李跟我报备过啦，我恩准了，怎么样，有人在意你去喝酒吗？”

我哑然，心想这深沉大恨只能报在老李身上了。

几杯啤酒“咕咚咕咚”下肚，我赶紧又叫上几瓶，还没等我大展拳脚呢，杨小毛就来了电话。

老李接起电话说：“不是跟你说过了吗？我跟老卢在喝酒呢，你放心。没姑娘，真的没姑娘。”

挂了电话他对我不好意思地笑笑，说：“她就这样。”

过了没多久，电话又响了起来，又是小毛同志。

老李说：“你等我一下，这里太吵了，我出去接。”

我看着他接电话时烟抽了一根又一根，挂了电话还在原地待了会儿，等他回来时，我试探性地问了句：“没事吧？”

他摇摇头，说：“没事，就是她老不信。”

没想到一会儿我的电话响了，刚接起来就听到小毛大喊：“老卢，老李在你那儿吗？”

我说：“在啊。”

她还没等我说完，就说：“你把电话给老李。”

接完电话老李无奈地冲我摇摇头，把他的手机翻过来给我看。

满屏的未接来电，通通是小毛的。

我说：“你就让着点小毛，你们异地，她一个女生还是会担心的。”

老李说：“你是不知道，每天都这样，一天二十四小时她都在给我打电话。有好几次我说了在开会，她还是每隔五分钟打一次电话。如果我关机或者总不接，她就打给我所有的同事。你知道吗？我同事看我的眼神都不耐烦了，我还得挨个儿去道歉。”

我隐隐觉得这段感情或许不像看到的那样，只是后来的事我就记不大清了，只记得半夜喝了一杯又一杯，还有小毛给我发的一条又一条信息。

反反复复都表达着同一个意思：你们怎么还不回家？

第二天迷迷糊糊醒过来，看到手机里有一条早上发过来的信息。

是小毛：“他不在我身边，我没有安全感。”

四

二〇一四年小毛毕业，她给我们发信息：“我去北京找老李，你们应该也在吧，抽空聚聚啊。”

那天我们在后海，夏夜的晚风总是把人吹得心神荡漾。

同样的情绪也感染着小毛，小毛拉着老李的手停了下来。

老李转过身来，疑惑地问：“怎么了？”

小毛看着他的眼睛说：“娶我吧。”

老李却回避着小毛期待的眼神，说：“再等等吧。”

小毛说：“我已经等了两年半了。”

老李说：“你别闹，等我再好一点，等我们再稳定一点。”

小毛突然一声大喊：“我从来不怕吃苦，只怕不能跟你在一起。”

老李没有正面回应，说：“这么多朋友看着呢，你乖，我们回去说。”

小毛的眼泪在眼眶里打转，说：“你怎么了？你以前不是这样的，你以前明明都答应了。”

老李说：“你知道在北京生活压力多大吗？你知道我不想让你跟

着我吃苦吗？你知道什么叫业绩考核吗？我不是说了，等我再好一点吗！”

小毛突然说：“你是不是对不起我？”

老李大惊，半天嗓子里蹦出沙哑的一个字：“啊？”

小毛声嘶力竭，问：“那你说你这段时间为什么不给我发信息？”

老李说：“我不是回你了吗？”

小毛说：“两小时之后回也叫回吗？”

老李叹口气，说：“无理取闹。”

小毛抓住老李的胳膊说：“好，那我再问你，为什么你的房间里没有我的牙刷，没有我的毛巾？你说！”

老李甩开小毛的手，说：“你都两个月没住了，我收拾了一下怎么了？”

小毛说：“才两个月没住，你就要把我住过的痕迹都收拾干净吗？”

老李气得说不出话，转身就走，留下小毛一个人怔在原地。

我有点胸闷，喘不上气。

包子本来拿着相机拍着我们，也一时间不知所措。

小毛转向包子，说：“拍什么拍！”

说着就想夺过相机往地上砸，包子只得拼命护住相机。

小毛闹了一会儿，慢慢地蹲了下来，把头埋进膝盖里。

我们知道她在哭。

五

二〇一五年春天的一个夜晚，我在上海。

老李把小毛寄给他的所有照片转交给我。

我说："小毛拍的照片都是给你的，你放我这儿不合适。"

老李说："那你找个机会帮我给她吧。"

我问："你连见她一面都不愿意？"

老李说："我不见她，是为了她好。"

我叹口气，说："你不见她，是为了让自己心里舒服。"

一时无话。

老李打破沉默，说："帮我对她说对不起。"

我说："我不管，要说你自己去说。"

他没接话，打车走了。

我在原地待了会儿，心想照片还是得转交，只是一时不知道怎么跟小毛开口。

好不容易下定决心打电话找她，却找不到；去她租的房子，她室友说她下午就出门了，到现在都没回来。

我想了想，去了她当时跪下“求婚”的公园找她。

她果然在那儿，满身酒气抱着一棵树喊老李的名字，死活都不肯松手。我拼命把她拉开，她又一把抱过去。

她说：“你不要拉着我，让我抱会儿他。”

我说：“杨小毛！你别发酒疯了！我送你回家！”

小毛突然整个人软了下来，像是被抽干了力气，靠着树坐下来，说：“我知道啊，我知道我在发酒疯啊，可只有在发酒疯的时候，我才能把这棵树当成他啊。”

我脑海里突然浮现出以前自己的样子，浮现出包子的样子。我走到树边陪她蹲了下来，说：“那……你想走的时候告诉我一声。”

等她嗓子喊哑了，我打车送她回家。

在出租车上她突然问：“你说是不是都是我的错？”

我不知道该说什么，只好说：“那就都忘了吧。”

她哭着说：“我忘不了，我总觉得他还会回来的，所以我等。”

我还没来得及说话，她头抵着前座，睡着了。

剩下那句“老李把你的照片都退回来了”我怎么也说不出口。

六

过了半个多月，小毛过生日。

我们想给她举办一个生日派对，却突然得知她去了北京。

两天后，她回到了上海，一身疲惫，满眼通红。

她去做了什么我们都猜得七七八八，谁也没有问她发生了什么。

只是我说了一句：“对一个人好到失去了自己，值得吗？”

小毛说：“一会儿我去你家，你把那一箱子东西给我吧。”

我说：“是老李告诉你的吗？”

她挤出一个无力的笑容，点点头。

老陈说：“我们陪你去。”

小毛说：“不用，我拿了就走。”

在这之后杨小毛销声匿迹了两个月，直到有一天她突然给我发信息。

她说：“你陪我去田子坊吧。”

我问：“去田子坊干吗？”

她说：“手痒了，想拍照。”

那天小毛从天亮一直拍到天黑，拍到相机没电用手机拍，拍到手机也没电自动关机。

我拿移动充电器给她充上，小毛开机，熟练地输密码，突然就哭了。

我大脑一片空白，慌慌张张地找纸巾。小毛缓过神来说："没事，我就是突然发现我的密码还是他的生日，因为习惯了一直没在意，我现在就把密码改了。"

记忆里的人离开了，手机却替你记得。

吃完饭我想送她回家，她说："不用了，我想一个人坐地铁。"

我说："注意安全。"

临走时她问："你知道喜欢一个人是什么感受吗？"

我说："是无时无刻不想知道他的消息吧。"

她说："你说对了一半，当你很喜欢一个人的时候，你会希望他能参与你的生活，你会希望你的所有情绪他都能有回应。他回复得慢了一点，你就觉得他不关心你了，因为我们都太怕失去，一点风吹草动都受不了。"

她又问："那你知道一个人不喜欢你是什么表现吗？"

我摇摇头，她说："是他不再跟你分享他的生活了，也不再对你有所回应。"

第二天小毛把自己所有的相册都上了锁，把朋友圈分享的歌都删了，还卖了自己的相机，退了在上海租的房子。

我担心小毛，发信息给她。

小毛回："有时候就算你站在那扇门前，你也不想再开门了。你以为你在分享生活，可其实只是你一个人自娱自乐。我把回忆上了锁，不需要钥匙，就当是我自己的秘密。"

就此小毛离开了上海，再也没有在朋友圈里分享一首歌，分享一张照片。

七

二〇一六年，我在北京安顿下来。

有一天小毛给我发信息，我们在三里屯见了一面。

她说："上次我来北京还是我生日呢。"

我说："那时我们还想给你过生日呢，你居然抛弃了我们一个人来了北京。"

她说："什么叫抛弃你们啊，是我抛弃了自己。"

她看着窗外，突然说："原来这就是北京啊。"

我疑惑地问："你不是来过北京吗？"

她说："不一样。"

她说：“有那么一阵子，我拼了命地想来北京，瞒着所有人投简历。其实我已经找到工作了，就差跟老李说。生日那天我想着最后一次，给老李最后一次机会。没想到他已经连我的生日都不记得了，那一刻我突然明白，是我一直没有放过自己。我不是给老李机会，是给我最后一次机会：最后一次死心的机会。”

我正色道：“一年过去，小毛同志，你长大了。”

小毛拍案而起，说：“长大个屁，老娘一直年轻，我永远十八岁，十八岁！”

我举手投降，说：“是是是，你十八你十八，三里屯里一朵花。”

小毛说：“你陪我去拍照吧。”

我说：“又来？”

她说：“怎么的，不乐意？”

我再次投降，说：“好好好，拍拍拍。”

我本来以为她要拍很久，结果才拍了三张她就停了下来，取出相机里的内存卡。

她把卡丢给我，说：“那一箱子照片我还是扔掉了，却舍不得扔掉这张卡。这张卡本来快满了，这次我终于有勇气把它拍满了，你留着吧，或者丢给包子。这里面的回忆对我不重要了，但我觉得或许你们想要留着。”

回家后我打开了内存卡，里面是她那些年拍的所有照片，有些是老李，有些是她学会用三脚架之后的自拍，当然还有一些拍的是我和包子，还有老陈。

我看着照片哈哈大笑，心想原来那个时候我们长那个样子。

一边笑一边复制一张照片给包子发了过去，包子秒回："没想到这么多年我们的颜值进步很大啊。"

我回："呸。"

我一边聊天一边把照片都拷给他，系统提醒我这里面有两段视频。我点开，所有的笑容都凝固在脸上。

一段是那天包子跑了一圈又一圈给他们拍的视频。视频里两个人多么幸福，视频外两个人毫无联系。

"老李同志，你将来愿意娶我吗？

…………

"好啊。"

另一段是那天在后海，包子拿着相机拍的。

在他们吵架前五分钟，还有这么一段对话。

"老李，好像你从来没有拍过照片给我呀。"

“小毛，我哪儿像你有那么多时间到处拍照啊。”

然后小毛说：“娶我吧。”

老李说：“再等等吧。”

我想到了什么，又把所有只有小毛一个人的照片点开一张张看。

我终于明白了刚才一闪而过的违和感是什么。

在所有只有小毛一个人的照片中，她永远在画面里的最左端。她说过，老李喜欢她站在自己的右边。

我的眼泪止不住往下掉。

我突然想起杨小毛的那句话，喜欢就是想把自己的生活分享给他。

就像那时漫天飞雪，想拍给你看；那时听到好歌，想唱给你听；那时激动的情绪，希望不用说都有人懂。喜欢就是看到所有美好的东西，都想和你分享。

后来走廊被黄昏染色，冬天被大雪唤醒，思念被歌曲收藏，却找不到分享的人。告别就是看到所有美好的东西，也不会再和你说了。

我最好朋友的婚礼

我们很久没见，也不会有隔阂。我们有共同的回忆可以分享，又可以自然地说着现在的生活。

♪ 周杰伦《晴天》

一

为什么这个红绿灯这么久？

我看了眼手机，还有两个小时我的航班就要起飞了，而我现在居然堵在路上。

来不及了，来不及了，我一路飞奔办完登机牌，临安检了突然背后一凉，才发现把背包落在了出租车上。

我没停下，向登机口跑过去。

没有什么比赶回去参加婚礼更重要。

上飞机前我给老陈发信息："我飞了，等着我！"

关机，看了会儿书，机舱逐渐暗下来，我开始回忆他的故事。

我和老陈的相识，要追溯到我们的小学时代。

小学时我痴迷水浒卡，不知道吃了多少小浣熊干脆面，才凑了一百张水浒英雄卡。

我有事没事就拿着水浒卡在学校里晃悠，走到哪里都能吸引同龄男生羡慕的目光。很快，消息传开，一到课间我就被重重包围，男生们纷纷表示要一观我的水浒卡。

我扬扬自得，所有虚荣心都得到了满足，直到有一天，我发现课间居然没有别的班的同学来找我，人群居然向着另一个方向汹涌而去。

同桌从门外跑进来，一边拉着我一边说："隔壁班有个人集齐了一百单八将！"

那个瞬间，我幼小的自尊心受到了巨大无比的打击。

可转念一想，我干脆面吃到快吐了都没能集齐。

……他肯定吹牛 × ！

倔强的我站在教室外的走廊里大声吆喝："我有一张玉麒麟卢俊义的金卡！"

人群瞬间向我拥了过来。

又听到隔壁走廊传来一句："我有豹子头林冲的金卡！"

走向我的同学们纷纷停下脚步，又围了回去。

我大喊："我有智多星吴用的金卡！"

他说："我有小旋风柴进的金卡！"

我大喊："霹雳火秦明！"

他又说："小李广花荣！"

一来二去，围观群众纷纷表示："你们两个人都这么牛 ×，为什么不干脆打一架？"

我还没回应，隔壁班的男生已经走到我面前，趾高气扬。

我一个帅哥怎么能容忍这种事情发生，当即表示："来啊，我们坐下比一比谁的卡多啊！"

那天成了他小学生涯中最为风光的一天，因为最后我败下阵来，那个王八蛋居然真的集齐了一百单八将。我校第一牛 × 的称号从此归了他。

放学后他找到我，说："我多了一张旱地忽律朱贵，你要不要？"

旱地忽律朱贵？这是水浒卡最难收集排行榜的三巨头之一啊。

我嘴上说着不要，但身体很诚实，看着他递过来的水浒卡，接过来放进了口袋……

这个人就是老陈。

从此他成了我的朋友。

二

当时他还算不上我最好的朋友。

毕竟不在同一个班级，也只是有着送水浒卡的交情。

结果到了初中，我们居然成了同班同学，直到高中毕业我们还是同班同学。

虽说是同班同学，但友情迅速升温总还是需要一个事件。

那件事发生在二〇〇六年。

二〇〇六年，他开始早恋，哦，不对，是开始单恋。

那年德国正举办着世界杯，我们班里有台电视，午间会用来看《新闻 30 分》，也只能看《新闻 30 分》，平时都不让开。可怜我们对世界杯心心念念，却没法看到关于世界杯的信息。老陈突然一拍脑袋，说可以用那台电视搜体育频道啊！

不愧是从小就集齐一百单八将的男人！

可没想到体育频道只看了五分钟，班主任便神出鬼没地出现在教室门口，仿佛一早就算好了时间似的。

只听到他大声呵斥："是谁开的！"

老陈刚想站起来自首，大丁却站了起来，说："老师，是我开的。"

班主任一看是班长，说了句"下次别再开了"，也就没再追究。老陈却从此动了心，无法自拔。

我当时也情窦初开，喜欢隔壁班的一个姑娘。

我们两个单身直男一合计："我们可以互相支着啊！"

从此我们从好朋友变成了兄弟。

于是我们上课互相传字条，共商大计。

天赋异禀的我们很快就想到了一招，那就是……抄歌词啊！

二〇〇六年，周杰伦占据了华语乐坛的半壁江山，人人都在唱《菊花台》，就连一向对流行音乐不屑一顾的长辈们，也因为一首《听妈妈的话》，主动买专辑给我们听。

而我因为一首《温柔》开始听五月天的歌，一首《听不到》让我彻底迷上这个乐团。

于是一个人开始抄《晴天》，一个人开始抄《温柔》。把歌词送出去之前，我们互相看了眼各自的信。

他用力拍了拍我的肩膀，破口大骂：“神经病啊！‘不打扰是我的温柔’是用来表白的吗??”

我拍桌而起：“你看看你自己，‘从前从前有个人爱你很久，但偏偏风渐渐把距离吹得好远’，这是用来分手的吧，垃圾？”

老陈一脸“你懂个屁”的表情看着我，我用“我就懂”的眼神还了回去。

然后呢？然后我俩被对方一打击，谁都没有把情书送出去。

三

机舱突然亮了起来，我也从回忆里醒过来。

空姐问我要什么，我说：“要可乐吧。”

我其实好久没喝可乐了，自从上了大学之后身体不好，我就刻意避开碳酸饮料。我在高中时最爱可乐，一到周末就跟老陈、包子三个人奔向肯德基，一人一杯可乐。那年头还有寒暑假，不管酷暑还是寒冬，我们都爱去打篮球，打完球就一人一罐可乐。

我篮球打得一般，而老陈是校队的。那年学校比赛，我们都去为他加油，大丁也去了。

比赛结束，两分惜败。

我看着老陈落寞的眼神，刚想走上前安慰，正好看到大丁。

我一脸坏笑地把可乐递给大丁，说："大丁，我肚子痛，这是我给老陈买的，你帮我给他吧。"

我没等她反应过来，就把可乐塞了过去，假装奔向厕所。

到了转角，我停了下来，暗中观察，脸上带着欣慰的笑容。我家的猪终于被白菜拱了。

可老陈似乎什么都没说，接过可乐就走了。

等他经过我身旁，我拉住他，问："刚才你们说什么了？"

他愣了愣，说："谢谢啊。"

我大惊："就这些？"

他认真地点点头，说："就这些。"

我恨铁不成钢，说："你这么蠢，当年到底是怎么集齐水浒卡的？"

他说："因为我有钱啊……"

因为我有钱啊……有钱啊……

钱啊……

一记重击。

卢思浩倒在地上再也不想起来了。

很快，我们迎来了高中毕业联考。

我和大丁成绩都不错，应付考试倒也不太费力。老陈就不同了，天天把自己扔在测试题里，做得铅笔冒烟，还是没进步多少。

然后呢？然后考完试，成绩放榜，大丁班级第二，老陈倒数第五。

老陈就此消停下来。

学生时代喜欢一个人，成绩就是头顶的乌云，挥散不去。

四

飞机的声音真吵啊，我压根无法入睡。

看了眼身前小电视上显示的时间，还有五个小时才能到，我心想：为什么墨尔本离中国这么远？

说到墨尔本，第一个知道我要出国的人就是老陈。

老陈问："真决定出国了？"

我点点头。

老陈说："在外头好好的，毕竟不比国内，你看你这小身板，在国外出了啥事你绝对扛不住。"

我笑着骂："你大爷的。"

他接着说："毕竟我们都不在你身边，谁带着你打篮球？谁帮你追姑娘？遇到事了谁帮你出头？"

我突然什么都说不出口了。

临走我们去唱歌，老陈点了首张震岳的《再见》。

我们一宿没睡，第二天我就跟着爸妈去了机场，老陈给我发了一条言简意赅的短信："我们已经做朋友六年了，未来还有很多年。"

我回："有空来找我玩啊。"

他说："好。"

我说："早日追到大丁。"

他转移话题："在外头好好的。"

五

下午的浦东机场依旧人山人海，我一看距离婚礼开始还有四小时。而我需要在这四小时内从浦东赶到虹桥，再从虹桥坐高铁到无锡，然后打车回家，感觉是一项不可能完成的任务。

我咬咬牙，一路小跑奔向机场大巴。

二〇一一年老陈已经在南京了，我去南京找他。老友很久没聚，先互相数落对方，然后也不生疏，直奔篮球场。当然他轻松把我斩落马下，我“战死沙场”也没赢回一局。坐在场边时他突然说起：“我这辈子只记得两个人的背影，一个是当年齐达内和大力神杯擦肩而过，另一个是大丁站在我面前替我顶了罪。”

我问：“快三年过去了，你表白了吗？”

他说：“我尝试过，有天我在她小区门口等她，你知道发生了什么吗？嘿，她从小区的另一个门回家了。”

那时刚刚有微博，他就看大丁的微博主页。她难过，他就替她难过；她开心，他就替她开心；她恋爱了，他就找我吐槽，说这世上还有谁能比自己更了解她、更能照顾她？我当时用力拍了一下他的脑袋，说：“那你倒是去追啊。”

老陈看着我摇摇头苦笑，把他的微博草稿箱给我看。

我一看瞬间瞪大了双眼，说不出话来。

因为草稿箱里放满了老陈想要对大丁说的话，却一条都没有发送出去。

那一年，还发生了另外一件事情。是我的惨败。

那一年我写了一本书，叫作《想太多》，几乎没有人知道这本书。

你知道一个人努力了三年，终于等来了一个所谓的结果，满心欢喜，满怀期待，却发现那不过是一场空，是什么感觉吗？

就好像，如果我知道今天是下雨天，那我出门会带着伞。可有时候生活偏偏让你觉得今天是个大晴天，然后才给你浇一场大雨。

如果结局是失望，干吗还要给你一点希望？

那时的我自然不明白，生活的本质就是这样，希望和失望并存，美好与丑恶共生。有多少好的，就有多少坏的，付出从来不等于回报，不公平就是生活本身。

而我们能做的，是从失望中看到希望。真正的乐观，不是因为没见过世界的黑暗，恰恰是因为见过，才懂得生活的珍贵。

可我当时还没想通，我意志消沉。

一个人躲在上海，哪里也不去，谁也不找，不知道自己要去哪里，不知道自己还能到哪里去。

幸运的是，在我最难过的时候，我有两个好朋友。

他们没有笑话我，更没有落井下石。

一个从南京来到上海，一个个地铁站找我，拉着我，陪着我，等我自己幡然醒悟。

另一个不知道从哪儿弄来一辆车，对我说："你把这些书交给我，老子去帮你卖，有的人不知道你的好，是他们没眼光。"

这个人就是老陈。

后来我才知道，老陈把这些书打两折卖了出去，然后再按原价把钱给我。

我执意要还他钱，他摆摆手，说：“你就把这些钱当份子钱吧，我结婚的时候再给。”

六

我赶到酒店的时候已经晚上九点多。

他们给我的请柬上，写着婚礼的开始时间：18:18。

我知道我迟到了。虽然包子和老唐一直在群里给我发信息，说安全第一。

可我知道，我就是错过了。

包子在群里问我：“到了吗？”我回复：“到门口了。”

他说：“快来，我们在等你。”

宾客走得七七八八，服务员正在收拾桌子。

我心里一沉，还好看到最里面的一桌酒席还坐满了人。我听到老陈对我大喊：“老卢，这里这里。”

我第一次看到这么帅的老陈，还没走近，他就给了我一个结结实实的拥抱。

我说：“对不起，我迟到了。”

他没等我说完，抢着说：“辛苦你了，大老远赶回来。”

我满怀歉意，说：“不辛苦，就是没想到还是晚了，错过了你们的婚礼仪式。”

老陈哈哈大笑，说：“晚什么，我们不都在吗？”我还想说些什么，包子拉着我坐下，冲我眨眼。

我还没来得及思考，就看到从门外红毯缓缓走进来的大丁。

穿着婚纱的大丁。

老陈给我一个俏皮的眼神，就冲着大丁跑了过去。

他挽着她，一步步从门外走进来。那时候酒店已经没有那么好的灯光了，另外两个朋友大头和芋头一左一右，用手机的闪光灯照着他们。音响也撤了，小裴和包子就用手机人工放着《终于等到你》。我还在发呆，包子拍拍我的肩膀，说：“愣什么呢，一起拍手一起唱啊。”

“终于等到你，还好我没放弃。”

这是我参加过的最简陋的婚礼，却是我参加过的最美的婚礼。

全世界所有的漂亮，此刻都集中在他们身上。他们一步步走向我们，缓慢而郑重。大丁轻轻靠在老陈的肩膀上，眼里写满了温柔。

包子给我一堆彩纸片，问我："准备好了吗？"我瞬间会意，跟包子走到他们身后，人工制造烟花。

他走到我们这桌前，单膝跪下对大丁说："大丁，这么多年我一直在努力变好，你愿意把你的余生，都托付给我吗？"

大丁认真又缓慢地点头，说："我愿意。"

这是我最好朋友的婚礼。

他们的婚礼仪式其实早就结束了，但他们愿意为了我重来一次。

老陈走到我身旁，说："这么多人里，我最希望你能幸福，因为你是我们中总在漂泊的一个，我知道你热爱自由，但我希望有一天你能找到落脚的地方。"

我再也没忍住眼泪。

仿佛我们还是十年前的那两个少年。

我们互相催促对方去表白，却双双失败；我们集体落魄，在黄浦江边吹了一晚上的风；我没等到姑娘那天，老陈拍着我的肩膀说"人生自古谁无死，啊呸，人生在世谁不失恋，没事啦，你想怎么发泄我都陪你"；我们又时常热血，半夜说走就走，一路漫无目的；又或者我们一起出游，在海滩一起唱着《红日》，等日出。

可我们转眼就长大了。

十年后我们见证了彼此的成长。

我最好的朋友，终于找到了自己的幸福。那个在我最难挨的时候帮助我，在我开心的时候祝贺我的老陈，终于等到了大丁。

我以前一直不理解“永远年轻，永远热泪盈眶”的意思。

或许我现在也无法理解这句话的意思，也认为我们始终没法做到“永远”，但我跟他们在一起的时候，我就能感受到力量。

那种力量来源于我们的共同回忆，来源于我们的热血热泪，来源于平日里的点点滴滴。

这是我们最好的年纪，我们光芒万丈的青春。

对了，我是不是还没有说他们是怎么在一起的？

后来啊，他们终于遇见。

老陈终于表白，说：“很多年了，很多年了，我喜欢你已经很多年了，可我一直不敢说，现在我把自己变好了。我说这些是想告诉你，我有能力照顾你了，跟我在一起好吗？”

大丁说：“很多年了，这么多年你终于说出这句话了，不然你觉得当时我为什么要帮你顶罪？你傻不傻？”

七

我花了整整两天时间在路上，参加了一小时的婚礼。

但这是我当时最想做的事情。

我无法错过。

无法错过我最好朋友最幸福的瞬间。

有人说，友情是有保质期的。

对也不对。

大概是到了年纪，我身边的人走得七七八八。

我以为和那些好朋友，只不过是短暂地分开，最后我们还会殊途同归。

可转眼那些曾经在生命中的人消失在人海，居然找不到一丝痕迹。那些还能找到痕迹的，又因为时间开始生疏，早就找不到当初的感觉。

而我最幸运的是，还有那么几个人，跟我一直是好朋友。

我们很久没见，也不会有隔阂。我们有共同的回忆可以分享，又可以自然地说着现在的生活。不会有妒忌，也不会有嘲笑，有的是带着吐槽的鼓励。

友情更像是一种不需要常常惦记，但都保持着关心，不需要时常保持联系，但聊起天来感觉时间就像没走，不需要陪伴在身边，但有困难时可以第一时间到你身边的感情。不需要太多寒暄，一句“最近怎么样”就能开聊；不管距离有多远，就像在面对面聊天；不管多久没联系，就像从来没离开。

我早就不是那个相信友谊天长地久的少年，也知道这世上更多的是分道扬镳。

可就是因为他们，我还是相信，有些友情是可以打败时间的。

因为跟他们在一起的时候，我能感受到我不是任何人，我的身上没有任何标签，我的工作也不重要；因为跟他们在一起的时候，我就是我自己。

完完全全的我自己。

而你也知道，在你最幸福的瞬间，他们一定会赶来见证；在你最需要他们的时候，他们也会及时出现，在你最失落的时候陪着你。不需要任何回报，不需要任何道理，这就是朋友。

我的朋友不多不少，逐渐稳定到了现在的几个，但留在身边的，每一个都很重要，每一个都要幸福。一个都不能少。

看到这里的你也是。

给你一管热血，你可别㞞啊

万事抵不过不甘心。

因为不甘心，所以无法放弃。

♪ 五月天《顽固》

一

二〇一五年一月十二日，生日。

没有人跟我一起过，我只是不知怎的，一个人游荡到了南京，在先锋书店买了几本书，回酒店的路上，看到一个小姑娘蹲在马路边上打电话。

一月的南京，天寒地冻，人人行色匆匆，不愿在风里多待一分钟。而这个小姑娘就这么蹲在马路上，瑟瑟发抖，看着都让人心疼。

路过她身旁，听到她一字一顿地说："我——不——甘——心。"

这几个字我太熟悉了。

我知道的，你也不甘心。

二

万事抵不过不甘心。

虽然我们每天可以听到无数种声音，可到头来，只有一种声音能够真正影响到我们，能够真正在我们睡前的时候在脑海里一遍遍地响起。

我们内心的声音。

你会听到内心对你的质疑，你会听到内心对你的抱怨。

那个声音反反复复地问你为什么。

为什么放弃？为什么妥协？

它会一遍又一遍地重复，直到某一天，你选择追随自己内心的声音。

是的，因为不甘心，所以无法放弃。

因为不甘心，所以无法妥协。

你认真生活，努力赚钱，找到自己的喜好，不在乎别人是否认同，用心经营好自己的生活。

可你在有些人，比如你的长辈眼中，只不过是一个不结婚的神经病。所以过年时，大概你也被当成话题中心讨论过。

他们评判你的标准，居然是你有没有结婚。

即便如此，你也无法反驳他们，或者说，即便反驳了，也无济于事，只会招来更多的议论乃至非议。

我很幸运，有很爱我的父母。

虽然我妈嘴上常念叨让我相亲，让我早点给她找个儿媳妇，我也的确去相过几次亲，但只要我说我不喜欢或者还没准备好，我妈又会很开明地说，没关系。

可不熟的亲戚朋友们，却总是抓住这件事不放，有时候我觉得很难过，不是为自己难过，而是因为看到我妈躲闪的眼神而难过。

我实在无法理解，本来我们就不太熟，怎么一提到这些话题，我们就变成亲密的人了？

当身边的人都开始结婚生子，当你的长辈父母都开始以你为话题中心，当你的朋友无法理解你的坚持，当你开始觉得自己格格不入的时候，你会怎么选？

将就吗？妥协吗？还是跟有些人一样再也不相信爱情？

妥协太容易了，你只需要说服自己，就可以跟他们一样。

但妥协也太难了，你必须要说服自己，换一种生活方式。

我知道的，你不甘心。

你活了二十多年，用心生活，一步一步变成现在的样子，没有人知道你有多辛苦。你减肥，你健身，你学习，你读书，你相信这世上有个词叫气质，气质就藏在你的眼神、你的言谈举止里。你认真丰富自己，不是为了不结婚，只是为了能遇到爱情再结婚。

凭什么被别人一而再，再而三地否定？

那我告诉你，你不该被任何人否定。

一件事坚持了那么久而你依旧觉得舒服，那这件事对你来说就是对的。

三

还年轻的时候，我希望全世界都是我的。

我希望有很多的朋友，觉得朋友越多越好，而自己一定要在交友圈的中央，这样才显得我被需要。只是被迫也好，主动选择也好，我偏偏在很早的年纪就开始一个人生活。

或许也因为这样，我比一些人成长得快些。

最开始觉得很痛苦，觉得自卑，走在路上都觉得别人用异样的眼神看着我，觉得他们的内心在说："这个人怎么这么可怜，连一个朋友都没有。"

我也不知道自己到底是什么时候释怀的，只是有天突然回过神来，好像一切都没那么重要了。

那天之后我开始明白，我所谓的成长，其实是在乎的东西变少了。

陌生人的认同不再那么重要，他人的声音变得无关紧要，喜欢的东西也不一定非要分享。

就像有那么一阵子，我希望身边的所有朋友都喜欢五月天和coldplay（酷玩乐队），当我把那首"yellow"（《青涩》）放给很多人听时，才发现并不是每个人都那么喜欢。

最初我觉得生气，心里想，为什么这么好的东西会有人不喜欢？

理智上我知道，这都没什么，每个人都是不同的，他们不喜欢就不喜欢好了，那些歌一直在耳机里，感动着能听懂它们的人。

只不过还是有那么些时刻，我不甘心。

我知道的，你也一样，你不甘心。

不甘心的是那些你真正在乎的人，跟你渐行渐远。

你明明用心珍惜，可朋友越来越少；你明明真诚待人，可那个人转头就跟别人说你的不好；你明明什么都没做错，可就是有人逼着你去道歉。

你有时怀疑自己的那套准则，到底适不适合你现在的交际状态。

你有时怀疑自己从小到大坚信的那些，到底是不是真的正确。

可是又能怎么办呢？

你知道他们的小伎俩，你知道他们的举动，你就是没办法跟他们一样。你看电影时就会开振动，从来不大声喧哗；你就是习惯对服务员说谢谢，对每个人都保持礼貌。

不是装，也不是清高，而是这些东西早就融在你的血液里了。你改变不了，因为在你看来这就是你的日常，不这样才奇怪。

可就是有人觉得你是矫情是做作，我知道你难过。

可难道你要变成你不喜欢的那类人，然后跟他们做同样的事情吗？

不是的。

你要做的不过是坚持，因为我懂你，因为还有很多人懂你。

因为半山腰总是最挤的，你得到山顶看看。

四

某天你跟一个朋友说起自己的梦想，结果他一盆冷水泼下来顿

时让你没了兴致，也许他根本没有意识到自己的一句话会给你带来这么大的阻力。

有人说："你折腾啥？"

其实你很想说，折腾是为了心里的渴望，是为了能够每天睡觉的时候问心无愧，可你说不出口，最后跟自己说一句"算了"。

有人说："你现在过得不好吗？干吗非要往前冲？"

其实你很想说，那些无法分享的，那些隐藏在社交动态下的，那些无法与人言说的，才是你真正的生活，可你说不出口，最后化成心里的一声叹息，连这声叹息，你都没法让人知道。

我一个好朋友，失去了亲人，同时段男友跟她分手，她第三天就照常去上班了，一如往常。只是她在去洗手间的时候听到别人说她真冷血，她把自己反锁在隔间里，无声地掉眼泪。

让你难过的事情太多了，你只是想要调整好自己给别人呈现一个好状态，可有人偏偏抓住你的痛脚，说你没心没肺。

你想要去的地方你真的在认真打算，可有人偏偏要冷嘲热讽。

他们学不会的，学不会对无法理解的事情保持沉默，学不会对每个在自己领域努力的人表示尊重。学不会的，他们永远在他们的井里，永远到不了你这边，永远触摸不到天空。

五

不甘心。

我知道的。

你的所有成绩所有努力都无法得到认可，当然不甘心。

可我怕你久而久之习惯了，你开始怀疑真诚，你开始怀疑热血，你开始怀疑努力，你开始怀疑所有美好的意义。

有那么一段时间，我们什么都不愿意去相信了。我知道的，我也这样过。

迷雾笼罩在前，回头看不见退路，你站在你的世界中心，处处都是岔路，而你看不到站牌。没有指示标，没有人在前方，你只有自己。而你的心里有“放弃”和“坚持”这两个按键，你告诉自己按下放弃键，你就能摆脱一切负担。

可你按不下去，你知道你按下了放弃键，不是放下所有负担，而是在你的心里上一把锁。

而你知道自己还没到绝望的时候。人为什么要往前走？

因为你不到最后永远不知道自己的命运会如何，你也不知道未来是不是会有个好结果。你始终有机会去往你想去的地方，而你知道停在原地的话你哪里都去不了。

而我知道你也曾热血过，你也曾为了一件事情拼命过，只是你慢慢忘记，渐渐懒惰，那样的热血仿佛从来都没有过。

不是的，仔细回想吧。回想起来吧。

六

我身边的人，大多跟我三观相同，习惯相同，目标一致。人人都有着自己的坚持，都在用自己的方式活着。

我们也常聚会，抱团取暖。我们也常独处，静静思考。深夜的时候我们都不睡觉，让音乐陪着我们。

为什么选择这样的生活?

因为我们都太了解自己了。

了解自己内心那团火一直燃着，带着你一路披荆斩棘，去一个你必须要去的地方。

了解自己生来就是这个性格，做不来巧取豪夺，学不来花言巧语，宁可这么笨拙地生活着。

了解自己害怕给别人带来不安，如果可以，宁可选择麻烦自己，也不去麻烦别人。

也因为随着一路成长，再也没力气去取悦谁了。

无须从别人的称赞中得到力量，也无须从别人的生活里找到归宿。

如果自由的代价是孤独，我便坦然接受。我等的，一定是一个理解我又被我理解的人。

我爱的和爱我的我都不选，我选的一定是那个我爱且爱我的人。绝不将就。

去喜欢一个让你有动力的人吧，每天起来都觉得阳光万里；而不是喜欢一个让你有伤口的人，每天睡去都觉得万籁俱寂。

要每天过得充实，不管别人是否认同，也不管他们是否在意，这世上有那么多人，余生还长，总有人懂得欣赏。就算日落，也有一万种色彩。

还有爬起来的力气，就不要让自己躺在地上太久。路的尽头不见得跟想象中一样，但你得走过去看看。

给你一管热血，你可别㞞啊。

就算被命运打败了，大不了拍拍灰尘，说刚才是老子大意，我们三局两胜。

就算失策失措失意失落，你也能挺直了背，说一句："这一路走来，我从来没㞞过。"

Part 2 最好的我们

刚刚和你一起看星星，我觉得很棒。
我知道你眼里的那颗星星不是我，
可我还是喜欢你。

你这辈子错过的那个好姑娘

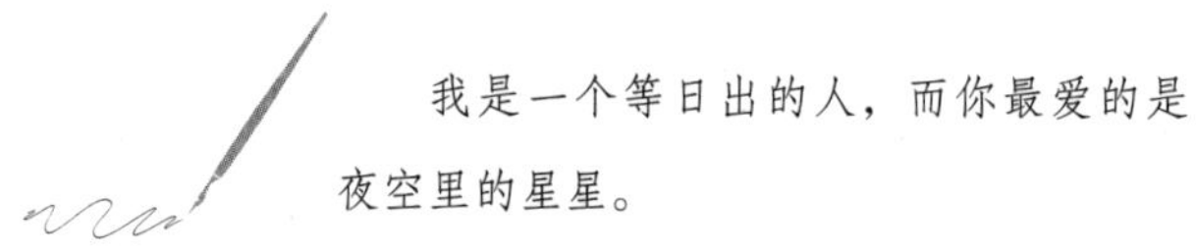

我是一个等日出的人，而你最爱的是夜空里的星星。

♪ Maroon 5 “Lost Stars” [1]

一

多年前我一只脚迈入大龄单身男青年的行列时，不可避免地被逼着相亲。

作为多年好友，包子自然也没能摆脱类似的命运。

逢年过节，我总会问他：“嘿，包子，你妈逼你相亲了吗？”

包子回答：“你妈逼了？”

我用力点头：“逼了！”

1　中译名：魔力红乐队《迷失的星星》。

不过我天生机智，每一次都能找到合适的理由遁走。

但你知道的，凡事总有个例外。

那天我提前跟老陈定好暗号，他按照计划，算好时间准时给我打电话。

一分钟后我挂掉电话，对坐在对面的姑娘说："不好意思啊，我有个朋友生病了，我得去看看他。"

姑娘非常淡定，随口问："老陈他又怎么了？"

我边站起身边说："他吃小龙虾过敏了，哎呀，我这个朋友很蠢的。"

姑娘说："老陈啊？上次他是不是吃巧克力过敏了？我感觉你这个朋友人生很灰暗。"

我认真点点头，说："就是啊。"

…………

我突然意识到哪里不对，僵在原地，擦了擦额头的汗，颤抖着声音问："你是怎么知道他叫老陈的？"

姑娘扑哧一笑，说："我和大丁是好朋友啊，你的这些招，我来之前就知道了。"

…………

俗话说得好，常在河边走，哪能不湿鞋。我这次一个打滑，连人带鞋摔进了河里。

我只好一脸尴尬地坐下来，脑袋里开始盘算着怎么不失礼貌而又不尴尬地给姑娘一个交代。

姑娘哈哈哈笑出声来，说：“没关系，我也是被我妈逼的，正好大丁说你也是被逼的，我顺水推舟就来了，正好堵堵我妈的嘴。”

二

姑娘的名字叫韩琪，后来她成了我们的好朋友。

韩琪那天边吃着自助边跟我讲述她的价值观，她说：“你看，长辈们老觉得婚姻是顶天的大事，我倒觉得没什么。电影可以一个人看，饭可以一个人吃，旅行可以一个人去，所谓的梦想也可以一个人实现，谁规定必须身边有个他？”

我点头表示赞同，又正色说：“不过还是有件事你需要一个他的。”

韩琪一脸疑惑地问：“什么事？”

我说：“生孩子。”

韩琪愣了三秒，抢过我的盘子，边吃边说：“哈哈哈哈哈，滚蛋，这顿饭你请。”

我看着她狼吞虎咽的样子，脑海里不禁有个疑问：为什么有的人这么能吃也不胖呢？

韩琪接着说：“我没有办法为了别人委屈自己，所以一个人生活也挺好。如果没有办法把时间花费在喜欢的人身上，我就把时间花费在喜欢的事上。”

我问：“比如呢？”

她吃了一口牛肉，说：“比如吃啊。”

我们不是为了迎合别人才来到这个世上的，我们的努力和前行也不是准备给谁谁谁的出现的。我们有自己要走的路，有自己要去的地方，陪伴在身旁的，是跟我们同行的那一个。

如果没有同行的那个人，索性一个人看风景。

除非两个人在一起感觉能更好，否则宁愿一个人生活。

就这点坚持，没办法妥协。

韩琪是这么想的，也是这么做的。

那时她身边有两个追求者，通通被她打发了回去。

其中一个死缠烂打。

有一天他在楼下对韩琪喊："你不下来我死也不走！"

韩琪下了楼，先是给了他一个大大的微笑，然后从身后拿起手机，说："喂，警察同志吗？这里有个变态，对对，就是 ×× 小区，请你们快来吧。"

那人怒喊："我到底是哪里不好，你就这么嫌弃我？"

韩琪冷冷地说："没什么不好，我不喜欢而已。"

那人又说："你想要什么我都能给你，我有车有房，还不够吗？"

韩琪不屑地说："老娘就讨厌自以为有车有房就可以拥有一切的人。"

说完韩琪就转身上楼了。

那人还不肯走，在楼下继续骂骂咧咧。

突然楼上一盆水浇了下来，男人大骂："他妈的谁干的！"

一个声音从七楼冷冷地传来："咦，怎么下雨了呢？"

另一个采取迂回战术，时不时给韩琪分享歌分享电影，大多没有回应，坚持了一段时间也只好放弃。

据说有一天他给韩琪发了张星空的照片，对她说："我想和你一起看星星。"

韩琪回："你可别逗了，今天雾霾天，你告诉我北京哪儿来的星星？”

三

老陈比较直白，说：“韩琪，活该你单身，你看看，甜蜜的你拆台，现实的你又不要，你这么机智，没人敢要你。”

我也问：“韩琪你想要的是什么？”

韩琪说：“我等的不是一个什么样的具体的人，而是那个人能给我带来的感觉。”

我们不明所以，韩琪便继续解释：“可能是一种熟悉的语气，可能是一种很棒的习惯，可能是一种开心的感觉，我要的就是这些。”

我一时无言以对，对她说：“你这也太意识流了。”

韩琪撩了下头发，说：“姐行走江湖多年，凭的就是意识流。”

那阵子恰逢年前，韩琪的相亲一直没断过。

每次韩琪出发前都会给我使个眼色，我敬礼，说：“放心吧，保证完成任务。”

晚上八点，我估摸着韩琪要坐不住了，就打电话给她：“韩琪，那个电影快开场了啊，你快来。”

韩琪便对着电话火急火燎地说：“什么？出什么事了？车祸?!你快把地址告诉我，我马上就到。”

我当时听她说话的语气，不由得感叹：这个台词水平，不去拍电影真的可惜。

我们有时也会真的去看场电影，更多的时候我们会叫上大丁和老陈一起喝酒，几个人喝得兴致勃勃，一起吐槽遇到的“奇葩”事，意外地聊得来。

有一次老陈没空，我们就去看了场电影。

那天我有点感冒，看电影的时候打了个喷嚏。

韩琪问我：“怎么感冒了？”

我摆摆手，说：“没事，很快能好。”

看完电影，韩琪看看表，嘟囔着：“可惜附近的药店都关门了。”

我笑着说：“感冒而已，没事的。”

送她回家后我到家，刚洗完澡躺下，突然接到韩琪的电话。

她说：“我实在没找到药店，只好去便利店买了点泡腾片给你。”

我说：“没事的啦。”

她正色说：“不行，你从明天起，每天泡一片。”

四

过完年韩琪回北京，没多久我去北京玩，正赶上她搬家。晚上她叫了几个朋友一起喝酒，我跟她的几个朋友都不太熟，就走到阳台看看风景。

韩琪拿着两个酒杯走过来，说："这种时刻就别难过了。"

我说："没有。"

韩琪递给我一个酒杯，说："是吗？我刚才看你的样子，还以为你想到了什么。"

我摇摇头，说："只是觉得大家不太熟。"

韩琪问："还是习惯一个人待着吗？"

我说："可能我懒吧，我不是那种拼命找话题的人，碰上聊不来的话题我又懒得去插话，这时候一个人待着比较舒服。"

韩琪说："你看，这就是我要的东西，我想两个人在一起开心，在一起舒服，其实一点都不意识流。"

那天北京是难得的好天气，抬头看恍惚间能看到几颗星星。

韩琪边喝酒边接着说："其实我也喜欢看星星，其实我也觉得地铁很挤，但他们都抓不到重点。星星很好，但身边的人的感受更重要。不是说去看星星觉得很棒，而是跟喜欢的人一起去看星星很棒。事情很重要，但做事情的人更重要。”

我认真思考了一下，对韩琪说：“其实……你还是有点意识流。”

韩琪说：“意识流你大爷，等下你帮我收拾。”

我一看客厅杯盘狼藉，心想：你大爷的。

收拾完已经凌晨，睡意一阵阵往上涌，韩琪送我下楼等车。等车时她对我说了句什么，我却走了神。

等到我再问，她打了一下我的肩膀，说：“我说过去的事情你就别想啦。”

我笑着说：“真没有。”

韩琪说：“别装啦，我知道你心里装着个人。心里装着个人的感觉我也懂，就算她远在天边，就算你的眼前有良人，你的心还是在她那儿。我知道的。”

临走时她塞给我一管泡腾片，说：“北京这地方不养人，你这体质容易生病，上次的泡腾片喝完了吧。喏，给你，记得……”

我抢过话头：“每天泡一片。”

她不忘叮嘱我：“你别光嘴上说说啊，记得真喝！”

五

一个月后我离开北京回墨尔本，韩琪来送我。

我上飞机前，韩琪问我：“你知道为什么我明知道你去相亲也只是走过场，却还是去了吗？”

我说：“不是因为你想堵上你妈的嘴吗？”

韩琪摇摇头，说：“总是差点。”

我突然说：“我答应过一个人一件事。”

韩琪问：“什么事？”

我说：“看日出。”

韩琪问：“怎么说这个？”

我说：“我是一个等日出的人，而你最爱的是夜空里的星星。”

韩琪笑着轻轻抱了抱我，说：“我知道的，哎呀你快走啦，你要来不及了。”

就这样，她一边催一边把我推进海关。

我回过头跟她挥手说再见，不知道为什么有些恍惚，总觉得缺了点什么。

后来很长一段时间没见到她，唯一一次联系是她给我打电话。我心想：居然打国际长途，一定是有什么要紧事。但我还是没有想到她接下来对我说的话——她说自己要结婚了。

我从床上蹦起来，说："这是个好消息，你快跟我说说你这单身问题是怎么解决的。"

韩琪问："你没什么别的要说吗？"

我说："有啊！早生贵子百年好合！恭喜我们的韩琪姑娘不用再相亲了，真的太不容易了。"

韩琪沉默了一会儿，最后说："果然到最后你还是差点。"

我说："啊？"

可韩琪就此挂了电话，留给我一串急促的"嘟嘟"声。

六

然后呢？然后半年后我去北京，想要找她，发现她搬了家。

照她以前的电话打过去，没人接。

给她发微信，没人回。

我问大丁韩琪的消息，问韩琪的婚后生活怎么样。大丁却一脸震惊，说："韩琪根本就没有结婚啊。"

换我一脸震惊，忙跟大丁解释说：“韩琪那时给我打电话说自己要结婚了。”

大丁说韩琪没结婚，只是后来辞了在北京的工作，回家了。

两天后我去出版社签书，编辑给了我一张明信片。

我心想这年头谁会给我寄明信片，却看到明信片上写着短短两行字：我和我的词不达意，你和你的心领神会。本以为是这样，可还是差点。

我的心像是被扎了一样。

那天我跟她在机场告别时的情景，有时会出现在我的脑海，变成梦境，让我分不清梦里的到底是回忆里的现实，还是想象中的幻觉。

脑海里有个姑娘问：“你知道为什么那天我会去找你吗？”

我说：“因为你想摆脱你妈的唠叨。”

姑娘说：“不对。”

我说：“因为你想免费吃顿饭。”

姑娘说：“你再猜。”

我说：“难道是因为你想见我？”

然后转眼身边人来人往，姑娘给我的回应被埋在人海里，我没能听到。

每次醒来之后我才想起，那天我们好像没有好好告别。

七

后来我去了很多地方等日出。

有一次在墨尔本的海边，海边很冷，我穿得很少，只好哆哆嗦嗦硬着头皮死撑，一抬头却瞥见一片银河，拿起手机拍了一张。

空闲时我又拍了几张墨尔本城市里的照片，本来打算当成新书的插图用。可我的技术有限，没能过关。我不想浪费这几张照片，想了想就放到了微博上。

没过多久我的邮箱多了一封邮件，来自一个我不认识的邮箱。

我疑惑地打开邮件，附件是很多墨尔本的照片。落款是：意识流少女。

我不知道她什么时候来的墨尔本，照片里是墨尔本的各种夜空。

我一张张认真查看，突然看到一张几乎一模一样的星空。原来有那么一天，她跟我去了同一个海滩。

我翻到照片的最后一张，是她拍的一行字。

我认得出来，是她写的，这行字写着：我喜欢你的一句话，愿有人懂你的欲言又止。我以为这样就好，可后来我明明知道你在难过什么，却没法安慰你。我总是这么词不达意，可后来我想通啦，喜欢星空的人，总爱追逐那颗星星；等日出的人，等的是黑夜都过去。我懂的，你要好好的，我们都要幸福。

PS：泡腾片，你要每天喝一杯。

我怔了一会儿，脑袋里不断浮现出她搬家那天晚上的情形。她送我时说的那句话，其实我只是假装没听到。

她是这么说的：

刚刚和你一起看星星，我觉得很棒。

我知道你眼里的那颗星星不是我，可我还是喜欢你。

我只想陪着你，在墙角蹲一会儿

难过的时候，所有人都给你讲一堆大道理。只有你的好朋友，懂你的沉默，陪你一起在墙角蹲着。

♪ 陈奕迅《陪你度过漫长岁月》

一

我二年级前不太能讲话。

确切地说，是不太能说普通话。

因为我生下来就得了一种病：先天性大舌头。那时我的舌头不能正常自由地前伸，舌尖不能上翘，所有卷舌音我都发不出来。

后来我才知道这种病有一个学名，叫：舌系带过短。

简而言之，除了不太能讲话以外，吃饭咀嚼也有一些问题。

不过童年时的我不以为意，以为这不是什么大不了的毛病。加上我有限的词汇量和方言中没有太多卷舌音，所以也没遇到什么麻烦。

我妈妈曾经告诉我："浩浩，没关系的，小朋友都是这样不太能讲话的。"

直到我上小学一年级。

不对啊，妈妈，他们讲话都很流利啊！

早慧的我意识到，一定是我的舌头出了什么问题。

回家质问我妈，我妈说："浩浩，你再等一年，到时候我们就去做手术。"

天哪，这么小的年纪就要做手术，太酷了吧。幼小的我想。

事实上这一点都不酷。

至少那一年的我，过得一点都不快乐。

或许班里的很多同学并不是出于恶意，只是单纯觉得好玩，才会在背后模仿我说话。

当然他们可能也不知道"智障"这个词到底是什么意思，只是想用这个好玩的词来形容我。

"你看那个智障，连话都说不清楚。"

我虽然也不明白"智障"到底是什么意思，但看他们的嘴脸就知道这不是什么好词。

但那时我无能为力。

打回去吧，因为不太吃肉，论体格我压根打不过。

骂回去吧，那时候我又不太能讲话，细细想来简直是一种天大的讽刺。

只能忍着，想着他们说着说着也就不说了。

于是把自己当成透明的，不敢跟别人多说几句话，也不敢去外面跟其他小朋友玩。

有一次语文老师喊同学起来读课文。

有个男同学举手，站起来说："老师，让卢思浩读吧。"

满堂哄笑。

我恨不得变成地上的灰尘。快让我隐身吧，快让我隐身吧，我在内心绝望地呼喊着。

这时有个人站了起来，说："老师，我觉得他们嘲笑一个人很没有礼貌。"

整个教室瞬间安静下来。

这个人就是我最好的朋友之一。

包子。

那天我特别难过，却又找不到什么发泄方法，只能一个人在所有人都离开之后，找一个墙角蹲着。包子默默走过来，也不说什么话，就陪我蹲着。

那瞬间我内心感觉到了一种温暖的东西。

一年后我做完手术，心想我要比那些嘲笑我的人更厉害。

于是每天苦练念课文，你们不是让我念吗？我现在要比你们念得更流利。

我要扬眉吐气！

是包子陪着我一起练习念课文。

包子像个小大人一样给我讲道理："你不要理别人说什么，做得比他们好就行了。"

这句话，一直陪伴我到现在。

二

也许是小时候不太能讲话的原因，我爱上了读书。

虽然我是班里最小的孩子，但我比班里大多数人都懂得多一些。

只是懂的不是什么知识，而是奇奇怪怪的各色桥段。

于是在五年级的时候，包子找我支着，问：“怎么去认识隔壁班的女生呢？”

我灵光一闪，说：“我回去看看书，书里面肯定有办法。”

于是我找来了能找到的所有言情书，开始反复阅读寻找答案。

机智的我，从这些书里得到一个真理：男女主角的相遇，一定伴随着浪漫的摔倒。

比如女主角在图书馆拿书的时候，一定会摔倒在男主角面前；比如女主角赶着去上课的时候，一定会跟男主角撞个满怀，然后摔倒在男主角面前。第二天，我把这个真理告诉包子，包子深以为然。

我们开始仔细观察隔壁班班花的行动轨迹。

十天过去了，我们终于注意到在早上第一节课之后，班花会拿着一摞作业本去老师的办公室。

潜伏这么久，终于等来了好机会，我一定要亲手把包子推出去。

这一天我瞅准机会，在班花经过的时候，用力推了包子一把。包子顺势扑了出去。

一天之前，我已经替他们想好了剧本。

剧本应该是这样的：包子把班花撞倒，包子回头骂我，包子蹲下来替班花捡作业本，包子不小心碰到班花的手，包子和班花坠入爱河。

（谁能想到此时的我才小学五年级呢？言情书果然不能看太多啊……）

天哪，完美！

可万万没想到班花居然灵巧地一个转身躲了过去，包子摔了一个狗吃屎，班花也就停留了一秒钟。

…………

包子站起身时怒目圆睁看着我，可能是想打我。

我落荒而逃。

就在此时，我眼前出现了个人，但我根本就没看清眼前的人是谁，更来不及刹车，一下把那人撞翻在地。我定定神，抬头一看居然是隔壁班班花。

包子冲到班花面前，包子回头骂我，包子蹲下来替班花捡作业本，包子不小心碰到班花的手。

咦？这不就对了吗？

我站在一旁看着这一幕上演，心想，我果然是个天才吧。

抱着这样的信念我用力点了点头。

我还在自我陶醉时，只见班花站了起来，怒骂："你们两个神经病啊！"

包子非常错愕，转而非常愤怒。

我非常错愕，转而非常担忧。

因为我从包子的眼神中确信了：他不是可能想打我，他是真的想打我。

我落荒而逃。

但我并没有为自己辩白，毕竟一切都是因为我的想法过于天真，千算万算没想到言情小说里的人物行为从来就不符合牛顿力学和正常逻辑，于是包子初恋的时间，从五年级跳跃到了大二。

……对不起，是我的错。

三

高二时，NBA（美国职业篮球联赛）开始席卷中国。

我们正当少年，自然也看起了NBA，主队是火箭，人人都爱姚明和麦迪。

我特立独行，偏要跟别人不一样，我喜欢湖人队，喜欢科比。

从此我跟包子看球分成两个阵营，我是坚定的科密麦黑[1]，他是坚

1 喜欢科比、讨厌麦迪的人。

定的科黑麦密[1]。

有天早晨我拿着篮球杂志到学校，封面人物正好是科比。

包子走近看了看，不屑地说："科比算什么，有我们麦迪厉害？"

我一听不乐意了，说："我科有三连冠，你麦能进季后赛第二轮吗？"

包子说："你科都是抱大腿，腊鸡（垃圾）。"

我说："你再说一遍？"

包子说："腊鸡。"

我拍桌而起，说："你侮辱我可以，侮辱我偶像不行。"

包子说："呸，我就侮辱科比，怎么了？"

我甩甩袖子，说："放学了操场比球，单挑。"

他说："好啊。"

等到晚自习，我还在气头上，包子说："别等了，有种现在就比啊。"

我说："还在上晚自习呢。"

他说："不敢？"

哎哟嘀，我心想，这是在挑衅我，不能忍，走就走。

就这样，我们翘了晚自习，偷偷跑去体育馆，但又不敢开灯，好在窗外有光透进来，勉强可以看清篮筐。

1　讨厌科比、喜欢麦迪的人。

打了四轮，2 比 2，我们摩拳擦掌准备进行最后的决斗，突然听到门口一声大喝："你们在干吗？"

我们拔腿就跑。

跑到一半包子又折了回去，我大喊："你回去干吗？"

他说："拿球！"

那个篮球是我送给包子的生日礼物，我们每次打球都用这个球。

我知道包子这一折回去，肯定会被抓个正着。

在那一瞬间，我做出了决定：不就是被骂吗？大不了一起受罚。

就这样，我们两个像小鸡一样被体育老师拎到班主任面前，班主任怒不可遏，把我们臭骂一顿。

包子嚷嚷："你们懂什么，这是男人之间的决斗。"

班主任说："哟，还得意起来了，你们这叫个屁决斗，幼稚！幼稚！"

第二天，我们被班主任通报批评，被罚午休时去艺术楼打扫卫生。

我说："我们的决斗被叫停，这次不算，下次再打。"

包子说："要不是被发现，那局我早赢了。"

我刚想反驳，他说："其实……科比是真的挺厉害的。"

我愣了一下，转而跟他一起哈哈大笑起来。

四

二〇一一年，我迎来人生中比较惨淡的日子。

那年我偷偷回国，却没有顺利找到房子，没有地方可去，出版的书没有人管，钱却已经所剩无几，只能流浪于各大地铁站、肯德基和麦当劳，能混一天是一天。

芋头也一样，为了男友去了上海，却在家里找到第三个人的痕迹，晚上我叫上包子，三个人一起去黄浦江边吹风。

那年我们都是不爱穿秋裤的少年，我和包子一个嫌累赘，一个不怕冷，芋头主要是爱美，就是大冬天她也敢露大腿。上海的冬天光看温度还能忍受，但真跑到室外吹风那就是钻心地疼。不怕死的三个人都穿着单衣，在江边也不聊啥，就坐在台阶上看天，只有天知道天有什么好看的，不，可能天也不知道。

然后芋头突然间大喊了一句："我已经忘记你了！"

包子跟我对视一眼，走到芋头身边，陪着她一起喊。

临近天亮，我们哆哆嗦嗦地窝在凳子上等日出。

我们仿佛被世界抛弃，没有人在意我们，全世界也只剩下我们三个。芋头突然开口唱："如果冷，该怎么度过。"

我们接着唱："天边风光身边的我都不在你眼中，你的眼中藏着什么我从来都不懂，没有关系你的世界，就让你拥有，不打扰是我的温柔。"

很快黄浦江边会迎来人群，身处黑夜的上海会被阳光唤醒，而我们拼命想做的，竟是抓住这最后的夜晚。因为仿佛只有在黑夜中，我们才得以是我们自己，我们才能把所有的情绪，都融进一首歌里，然后无声地掉眼泪。

包子开口问："你们啊，都是因为难过所以才来吹风，我最近又没什么心事，不知道为什么要陪你们吹风，也奇怪，不知道为什么跟你们吹风我觉得特舒服。"

我哈哈大笑，说："或许正因为这样，我们才是好朋友吧。"

芋头擦干眼泪，骂我："气氛都被你破坏了。"

然后我们三个都哈哈大笑起来。

那是我第一次为了等日出，看到天亮。

从没想到以后有一天，我会走遍全世界看日出。

临走时，包子给了我一笔钱，说："你是我见过的最努力的人，如果老天不给你机会，他就是瞎了眼。你可别倒下啊，撑下去。撑不下去了，我们就撑着你。”

我什么都没说，没要他的钱。

他也什么都没说，拍拍我的肩膀，说：“加油。”

那时我想，即使我的船在人生的海上沉了，我也要拼命游到岸边。因为岸边，有我的好朋友等着我。

五

时间回到包子大二的时候，他遇上了他的初恋，毫无预兆地陷入爱河。

二〇一二年八月，包子给我打越洋电话，说自己准备求婚。

那时我正在睡梦中，迷迷糊糊地说：“真的吗？毕业没多久就结婚？”

他大吼一声：“对啊，这是我的理想！”

我瞬间清醒，兴奋地从床上蹦起来，跟他一起制订他的求婚计划。脑海里突然浮现出五年级的时候，我们一起制订的认识班花大作战计划。

跟那次一样，包子的满腔热忱撞到了冰山，再次摔了一个狗吃屎。

包子准备了盛大的求婚仪式，费尽心思弄来很多烟花。

求婚那天，他先是放了远方的几束烟花，放完后对姑娘说："怎么样？"

姑娘笑靥如花，说："好看。"

包子神秘地说："还有更好看的。"

朋友们点起藏在他身后不远处的烟花，他却没有回头看。

因为在那一刻，他眼里只有眼前睁大双眼满脸欣喜的姑娘，就算烟花再美，也美不过眼前的良人。

眼看时机已到，包子求婚。

姑娘却愣住了，没有同意也没有拒绝。

包子僵在原地，收回戒指，讪笑着说："没关系，你不要有压力，我们之后再说。"

三个月后，姑娘跟包子分手，说："最近想了很多，可能我们还是不合适。"

包子问："哪里不合适了？"

姑娘说："我暂时还不想要婚姻，我还想自由一段时间。"

包子慌忙说："是不是那次求婚我给你压力了，你可以当作没发生过啊。”

姑娘摇摇头，说：“我们真的不合适。”就这样，姑娘消失在我们的生活中。

那时我在包子身边，所有人都安慰包子，可我能读懂他的眼神。他的眼神里写着：不要安慰我。

于是我说：“想去哪儿疯，我陪你。”

他说：“我想出去走走。”

我掏出钱包，说：“好，我们打车。”

包子笑着摇摇头，说：“我想去的地方太远，要坐飞机。”

我掏出银行卡，说：“你说，哪儿，我陪你去。”

包子说：“好，你先回家收拾行李，一个小时后我们在这里集合。”

一小时后我没有等到他。

给他打电话，他说：“我已经到机场了，你别赶过来了，我想一个人去一些地方看看。”

我没再追问，只是让他路上注意安全。

一个半月，包子杳无音信。

后来他回来了，我问：“去哪儿了？”

他说：“去了一些地方，给她寄路上拍下的照片。”我问：“知道她的新住址了？”

包子说：“哪儿能呢，旧地址。”

我心里五味杂陈，那么多念念不忘，那么多没有回响。

不知道该说什么，只好走到窗边透气。

他走过来说：“道理我都懂的，你别劝我。”

我说：“我不劝你，但你以后无论去哪里，都在群里跟我们说一句。免得你消失了，我们满世界找你。”

他说：“兄弟，谢谢。”

我说：“怎么又说谢谢？”

他说：“谢谢你没劝我。”

六

二〇一三年，我终于有了人生第一场签售。

我内心忐忑不安，阵阵惶恐，整夜失眠。一早爬起来熨衬衫，暗自祈祷一定要有人来，哪怕一个都好哪怕一个都好。

后来来了很多人，晚上我回酒店，对着镜子里那张熟悉的脸，暗暗发誓：我一定要扎下根来。

包子晚上给我发信息：“今天怎么样，成功吗？”

我回：“嗯。”

他给我打来电话，听起来比我还开心。

二〇一四年，王府井签售。

我还是忐忑不安，再次失眠，第二天匆匆忙忙，忘了准备一些东西。晚上回家看着满桌子的礼物，突然很想哭。

脑海里是那个少年，那个少年揣着二十五块钱，兴冲冲到了上海，等着自己的第一本书上市。可什么都没有，没有自己的书，没有预想中的第一笔钱。

第二天我去书店买了一本自己的书，三年了，我想我终于游到了岸边。

晚上我跟包子聚会，把书送给了他。他哈哈大笑，问：“书里有写我吗？”

我说：“当然了。”

他问：“是不是最帅的那一个？”

我说：“最傻的那一个就是你了。”

他一边笑着骂我，一边举起酒杯，说：“你看我就说你能撑过来的。”

我问：“你呢？”

他说：“放下了。”

我问：“真的？”

他点点头。

二〇一七年春节，我们一起去湖边放了个烟花。

我发了一张照片到群里，群的名字是：下一个二十年。

下一个二十年会怎么样呢？

我不知道。

但我想，等待我们的，应该是还不赖的人生吧。

七

这二十年来，我们从男孩变成大人。

物是人非对我们都是伪命题，因为那些曾经存在过的建筑，早就变了模样。

那所初中，已经被拆了。那所高中，也已经面目全非。

有时我走到熟悉的路边，却看不到熟悉的建筑，也会怀疑那些热血热泪的青春是不是真的存在过。

还好我有他们，能一起证明过去的一切是真实存在的，那些情感也是真实存在的。

而我们这些年的相处模式，就是这样。

平日里忙碌起来，谁也不联系谁。

但所有重要的日子，都一起见证，彼此真心地祝福。

那些难过的日子，都互相陪伴，也不说些什么大道理。

难过的时候，所有人都给你讲一堆大道理。

只有你的好朋友，懂你的沉默，陪你一起在墙角蹲着。

有他们在你的身边，你就知道，再难过，天也不会塌；真塌了，他们也会替你顶着。

那么，
你信不信星座？

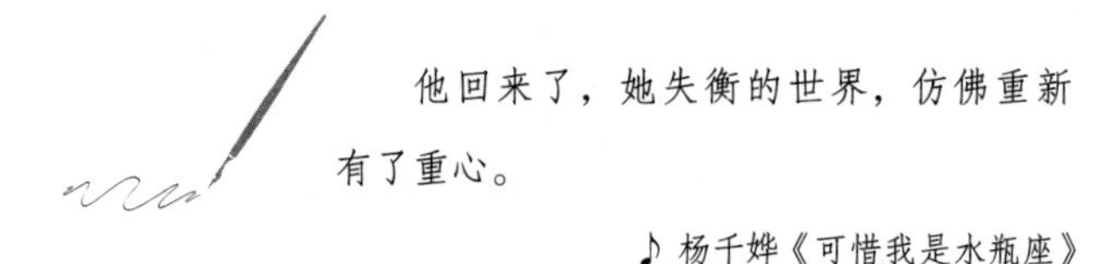

他回来了，她失衡的世界，仿佛重新有了重心。

♪ 杨千嬅《可惜我是水瓶座》

一

听孙淼淼说她妈妈给她算过命，她命里缺水，所以她妈妈给她起了这个名字。

老陈表示过质疑，说："淼淼，我们是社会主义接班人，不能迷信。"

淼淼严肃地说："这不是迷信，我小时候就溺过水，就是因为水神不保佑我。这些年，我都不敢一个人去海边。"

有一天她拿着星座书一本正经地研究，突然问我："思浩，你知道哪些是水象星座吗？"

我认真思考了一阵子，试探地说："水……水瓶座？"

她合上书，说："水瓶座是风象星座！天蝎、双鱼、巨蟹才是水象星座！"

我突然来了兴趣，问："那摩羯呢？"

森森说："摩羯啊，土象星座啊！俗称土鳖。"

我掀桌："哪里土鳖了！你看我土鳖吗?!"

森森看了我一眼，说："土啊！"

嗯？嗯?！土个屁啊！卢思浩的定位可是时尚男孩好吗！

从此我坚定了不让她再给我看星座的决心。

二

二〇一二年的一天，她突然发信息给我："老卢，来上海。"

我当然不肯挪窝，回复她："从张家港过去很麻烦的！"

森森说："出事啦，你快来！"

我立刻离开家，行李都没收拾，一刻不停地奔赴上海。

森森来接我，我上车后问她："到底出什么事了？"

她怯生生地说："能不能……借我点钱？"

我说："好啊，多少？"

淼淼说："五万。"

我一惊："你出什么事了？"

她说："不是我，是沈洋出事了。"

沈洋是她男朋友，她说他工作搞砸了，不仅要被开除，还要承担损失。她拼死借了十五万，还差最后五万。

我叹口气，说："你把你卡号发我。"

她说："等我有钱一定还你。"

我说："不着急，不过你得先回答我一个问题。"

她问："什么？"

我说："摩羯座是不是特别帅气？"

她哈哈大笑，点点头，没再说什么。

上海的冬天寒风刺骨，我看着窗外，下意识地裹了裹围巾。

第二天我请他们吃饭，沈洋的作风一点没变。

一身名牌倒也没什么，只是买单的时候他炫耀着自己最近刚买的钱包，将近一万块钱。

我忍着，心想作为外人也不方便说什么。

沈洋走后，我没忍住，还是开口问："淼淼，你实话告诉我，他是不是还特大手大脚地花钱？”

她沉默一会儿，说：“他这个人就是要面子，没事，钱还够。”

我说：“够？那你还到处借钱？”

她没再说话。

临走时我说：“淼淼，钱从来不是什么大问题，但他从来不肯为你花，还一个劲地问你要，让你借，这是个问题。要面子也不是什么问题，但问题是他惹出来的，他至少也该节制。”

淼淼没正面回答，反问我：“你知道当时他怎么跟我表白的吗？”

她说：“是在海边。我从小到大没有看过海，是他带我去的；我从来没敢潜过水，虽然我会游泳，第一次潜水是他牵着我的手下水的。你知道吗？很奇怪，我明明很怕水，可是他在我身边我就什么都不怕了。后来他说他知道我从小就怕水，以后他就做我的船，永远不会沉的船。”

我想起他们刚谈恋爱的那阵子，沈洋带淼淼去了很多地方，都是她一个人不敢去的地方。

我问：“如果那艘船上的乘客不是你呢？”

她想了想说：“那我也不能离开他，我怕溺水。”

正好刮来一阵寒风，我忍不住打了个冷战，这次换我不知道应该再说些什么。

三

记忆里森森是一个从来不会发脾气的人。

不是说她没有脾气，而是她太能忍耐，太懂克制，我甚至从没见过她跟别人大声说话。

有一次我们吃饭，她被别人不小心泼了一身汤。

我站起来跟那个人理论，她却拉拉我的袖子，说："没事没事，他也不是故意的。"

我说："森森，他都没有跟你道歉的意思。"

她说："算了算了。"

所以她跟沈洋从来没有吵过架。

即使错的不是她，她也会先服软道歉。

我们在上海时，偶尔聚会。

有一天我们一起唱歌，刚开始几分钟，森森接了一个电话，就对我们抱歉地说："不好意思我要先回家了。"

我说："这才八点半啊，你就要回家了？"

森森摸摸头，说："不好意思啊，我要去接沈洋。"

其实我们都知道，沈洋一直在外面花天酒地。

也不是没有劝过森森，可森森总说："他就是爱玩了一点，对我挺好的。”

老陈一向直接，问：“淼淼你跟他在一起这么久了，见过他几个朋友？”

淼淼支支吾吾地说：“有见过几个的……”

老陈不屑地说：“是吗？”

淼淼说：“就是他喝多了我去接他的时候，能遇到他几个朋友的……”

我问：“那他有介绍过你吗？”

淼淼的头低了下去，摇摇头。

她挤出一个笑容，说：“没关系，沈洋就是这个性格。”

老陈有些愧疚，忙说：“淼淼，你知道我说这些的意思……”

淼淼只是说了一句：“那我先走啦，下次再聚。”

第二天我听说他们大吵一架，不，是淼淼单方面被数落了一小时，原因是她晚到了几分钟。

自那之后我就很少见到她了，就连她的闺密都很少能见到她。一直到几个月后，终于再见到她时，才发现她已经完全变了一个样子。帆布鞋换成恨天高，黑头发也变成了亚麻色。

没变的是聚会还不到半小时，她就说要走了，要去接沈洋回家。

临走时她偷偷跟我们说：“别告诉他我今天出门了啊。”

四

后来我就回了墨尔本，很久没有跟淼淼见面。

夏天的时候，有一次落地上海浦东，想着给淼淼发个信息。她说：“我还没下班，一会儿给你电话。”

我看了眼时间，已经是晚上九点半。

没想到她回电话的时候更晚，已经夜里一点了。

接到电话，我问：“怎么这么晚？”

她说：“刚下班。”

我说：“沈洋允许你这么晚出门吗？”

电话那边一阵沉默，直到她说：“见面说吧。”

我赶到烧烤摊时淼淼已经到了，远远看到她略微有些心疼。

烧烤摊人声鼎沸，而她用手撑着脑袋，默默地在桌边打着瞌睡。

我拉开凳子坐下，淼淼睁开眼，说：“你到啦，来来来，我们喝一杯。”

我说：“好，我们好好喝几杯。”

淼淼说：“那不行，我明天一早还要上班呢，一杯，就一杯。”

我放下筷子，问：“怎么把自己搞得这么辛苦？”

她不好意思地说：“那个，钱，我能不能稍微晚点还你？”

我岔开话题，问：“对了……沈洋呢？”

她抿着嘴唇，说：“我们分手了。”

我一惊，问：“谁提的？”

她沉默了一会儿，轻声说：“他。”

我忍住站起来掀桌的冲动问：“为什么？”

她说话的声音几乎沉到了桌底，说：“他说我没好好陪他。”

我无法保持冷静，说：“你告诉我那个王八蛋在哪儿。”

淼淼站起来把我摁下，说：“你别冲动，我都不生气你生什么气？”

我说：“孙！淼！淼！你怎么能不生气？？？”

她说：“我知道他对我好的时候，是真好。我想过了，他在我最难过的时候陪过我，他带我去看过以前从来没看过的风景，我得还他。”

我说：“淼淼，你难道没想过他跟你在一起的时候，他也是开心的吗？你为什么总是看着别人对你的好，不看你对别人的好呢？你为了他从西安来上海，你为了他改变自己的爱好，这还不够吗？”

淼淼沉默，一言不发。

我不知道是不是因为我的话说得太重了，可换成谁都会忍不住。

淼淼说：“我怕我离开了他哪里都去不了。”

我还想说些什么，她说："你别担心我，我们火象星座的人乐观开朗，即使遇到困难，也会马上振作起来。"

我记得淼淼刚认识沈洋的时候，发疯一般查星盘，终于得出结论：她跟沈洋是绝配。

我暗想，如果星座书上说的都是真的，那为什么淼淼跟他没办法走到最后呢？

路灯昏黄，映在她的脸上，她脸上挂着笑容。

我看过很多次淼淼的笑脸，这一次，笑脸却没能掩饰她的难过。

五

我本来以为他们的故事，到此就可以告一段落。可一个月后他们就和好了。

淼淼再次看到沈洋的那一刻，就彻底投降了。

那些为了帮他借钱四处打电话的日子，那些默默加班到凌晨的夜晚，仿佛都跟眼前这个人没有关系。在她心里，他还是那个初识的少年，带她去看海的少年，带她坐旋转木马的少年，带她走遍上海每个街道的少年。

而他也没有一丝愧疚，拿了她的钱还债，仿佛这笔债务跟他就再也没有关系。

而她为了替他还钱而欠下的债，已经不关他的事了。

他回来了，她失衡的世界，仿佛重新有了重心。

于是淼淼又过起了疯狂加班，还得抽出时间去接烂醉如泥的男友的日子。

是的，就这样，他回来了，过去的伤痕被洗刷得一干二净。

可是很快他们就又分手了，理由是淼淼在他玩的时候多打了几个电话。淼淼一声不吭，没有反驳，再次分手，以被通知的方式。

隔天小裴给我发信息，说淼淼大病了一场。

我们赶到上海，淼淼看似恢复了大半，可双眼里还是没有任何神采。

我们谁都没有劝，只是静静地坐在她身边陪她。良久，她开口，说："我想离开上海了。"

我问："什么时候走？"

她说："等我把钱还完就走。"

我说："淼淼，其实你欠我的钱不用着急还。"

她打断我，说："不行，这是我欠你们的，我得赶紧还了。"

我问："那你自以为欠他的呢？"

她笑笑，说："我不知道。"

那天她大哭一场，再也挤不出一丝笑容，眼神里写着绝望。

她在小裴怀里大哭一场，说："小裴，我好累。"

为什么觉得累呢？

有人说，人变老是从心开始的。

其实不是的，人变老不是从心开始的，是从你觉得累开始的。一次力不从心，两次力不从心，于是你的心也跟着放弃了。

世上那么多放弃，其实都是一句"我累了"。

六

二〇一三年年底，我接到淼淼的电话。

她在电话那头哭泣，我问怎么了，她没有回答。我没有打破沉默，听着她哭，直到她挂了电话。

小裴说，她去找过淼淼，可惜没能聊几句，淼淼似乎每天二十四小时都在工作。

后来，淼淼再没打过电话给我，我们保持着偶尔的短信联系。

她总说：“我过得挺好的，别担心。”

一晃半年过去，二〇一四年六月，世界开始放晴，淼淼来找我。

我问：“怎么想到来张家港找我玩了？”

她说：“一直都是你来上海，我才想到从没来过你家乡看看。”

我哈哈大笑，问：“那你觉得我家乡怎么样？”

她也笑起来，说：“你家乡还是很洋气的，可为什么你这么土？”

我说：“要不我怎么是摩羯座呢？”

两个人捧腹大笑。

她说：“其实摩羯座一点都不土，那都是我瞎说的。”

我“哦”了一声，感叹道：“想不到你也有不信星座的时候啊。”

她眉毛一挑，说：“因为我想通了啊。”说着拿了一个信封出来，里面放着五万块钱。她抱歉地说：“对不起，我赚钱很慢，你是我最后还钱的人。”

我说：“这有什么关系。”

她问：“你还记得我之前说过要离开上海吗？”

我点点头，说：“什么时候走？”

她说：“明天。”

我问：“去哪儿？”

她摇了摇头，又说：“你知道女孩子失恋为什么要剪短发吗？因为她们需要一个仪式来跟过去告别。我知道我做不到，我没办法剪短发就跟过去告别，只要还在这个城市，我就会想起曾经跟他一起生活过的细节。”

七

二〇一六年，我去大连做校园活动，发了条动态问大连有什么好吃好玩的，森森在底下回：“你来大连啦？”

我忙回复：“你在大连？”

她说：“我去年来的！来来来，我给你拍个小视频。”

我一看，她是在海边。

我诧异地问：“你去海边了？一个人？”

她说：“哈哈哈哈，我还能在沙滩上玩水呢，厉害吧。”

我笑出声，说：“全世界你最厉害，看你这大眼瞪的，开心的样子搞得别人还以为你中了彩票呢。”

她说：“我就是想告诉你，我曾经觉得自己离开了那个人之后就哪里都去不了，其实不是的。你看，我一个人也能来海边，一个人也能去别的城市。我们都曾在感情里溺过水，却宁可在原地挣扎等那艘开走的船回来。我们小时候都笑刻舟求剑的人真傻，可我跟他又有什么分别？思浩，我想明白了，我命里缺的不是水，是别的。”

我问：“是什么？”

她说：“是勇气。”

我一愣，哈哈大笑，说：“去浪吧。”

时间倒回到二〇一四年，我送她走那天。

淼淼在离开之前，在车站前停了好一阵儿，然后她才慢慢回过身来跟我告别。

她说：“思浩，我不是真迷信星座，只是有时看到那些关于自己星座的好品质，总觉得自己也会有。他们说火象星座的人遇到困难也不怕，我就假装自己是这样的人。我这么相信着，自己心里就比较好受，好像是一道护身符一样。现在我想去试试，去试试自己到底是不是真是这样的人。”

那么，你信不信星座？

有人信，有人不信，其实无所谓的。

因为生活还是那样，它只是静静地在这儿看着你，等着你走出改变的第一步。

那么，你有没有改变的勇气？

那熟悉的味道是一台时光机

可能当你特别想念一个人的时候，你就是能闻到专属于她的味道。

♪ 米津玄师《打上花火》

一

有一段小时候的记忆。

是四五岁的时候吧。

那时我妈妈在医院工作，很忙，我总是见不到她。有天我午睡做了一个噩梦，醒来后第一反应就是想找我妈妈。奶奶在后院里做饭，我就偷偷溜出了家门，可没想到才走了几步就迷了路。我只好退回到路口，不敢再乱走。脑袋开始嗡嗡响，汗从额头慢慢流下来，逐渐挡住我的视线。

我不知道该怎么回家，也不知道该怎么找到去医院的那条路。印象里明明医院应该就在附近，可我怎么也找不到。汗水流过脸颊滴在地上，我一个人坐在路边，无助得想流泪。

就在这时，我突然闻到了消毒药水的味道。

小时候我奶奶会带我去医院，我先是在奶奶背后睡着，不一会儿奶奶会把我轻轻叫醒，我还没睁开眼就能闻到一股消毒药水的味道，然后我就能看到我妈妈了。

我顺着记忆里消毒药水的味道一直走，终于，我听到了一个熟悉的阿姨的声音。

阿姨问我："你怎么来医院了？"

我说："我要找我妈妈。"

长大以后，我妈跟我说起这件事。

她说她还是不相信我是自己一个人走到医院的。

我挠挠头，说其实我自己也记不大清了。

我妈在二〇〇二年左右离开医院，带着我跟着我爸离开小镇去了市区。

很久以后我才回了一次老家，尝试着从老家走去医院。

奇怪的是，我怎么也没能再闻到那记忆中消毒药水的味道。

是因为那时候太小所以我记错了吗？

我也不知道。

可能是压根没有消毒药水的味道，也可能是一个路人帮助了我，可能是我本来就模模糊糊地记得路，变成碎片压缩在回忆里，让自己都产生错觉，分不清自己的过去是梦还是现实。

也可能当你特别想念一个人的时候，你就是能闻到专属于她的味道。

二

因为就生活在长江边上，我从小就能吃到小龙虾和大闸蟹。

还记得很小的时候，天下大雨，水淹几百里。可还是得上学，穿着雨衣雨鞋踏在水里，有些路还能走，另外一些路就不行，一脚踏下去瞬间就会被淹进水里。那天我不小心一脚踩空，踩到了水最深的地方，一直淹到我的大腿，我心里一慌，拔腿就往前赶，结果摔了个狗吃屎。我心情很糟，刚想发作，却突然发现水里游着好多小龙虾，刹那间就又开心了起来。

现在回想起来很是奇幻，居然能在大马路上看到小龙虾。

现在回想起来很是后悔，既然看到了，为什么不顺手抓几只呢？

还有一次，我跟我爸去长江边上捕螃蟹。

我……虽然爱吃螃蟹，可我看到活的螃蟹就是一躲十米远。因为害怕，真的，螃蟹的钳子太可怕了，像是能把我手指夹断。后来好不容易鼓起勇气去抓螃蟹，我却一个不小心栽倒在池里，很多螃蟹立马扑了过来。

我现在还能想起当时的情形，那场景像极了《釜山行》，无数丧尸拥向一个无助的我。

其实我只要站起来逃跑就好了啊，区区螃蟹哪儿能追上我呢？

可那时我就是不知道该怎么办，直到我爸一下把我从池子里抱起来，跟我妈在一旁哈哈大笑。

我已经记不得那时我多大，是五岁，还是六岁？又或者更小一些。记忆却没有模糊，这些事我仿佛刚刚经历过，历历在目。

总之，由于种种原因，我开始觉得小龙虾和螃蟹不好吃，或许就是源于那时的阴影。

也就是那之后，我立志要吃遍全国，我要去重庆吃火锅，去长沙吃臭豆腐，去南京吃鸭血粉丝，去北京吃烤鸭，去内蒙古吃烤全羊。

没想到这些愿望很快就真的都实现了，吃完一圈，又莫名其妙地很想念小时候吃的那种小龙虾。

我想，我会想念那些童年里的味道，是因为想念童年时的我自己。

我想，我会想念我奶奶做的那一桌子菜，一定是因为我想她了。

三

因为北京很少下雨，所以很少会用到伞。

不过即使北京经常下雨，恐怕我也不太会备伞，因为即使是在我的家乡，在那个夏天常常不由分说下一场雷阵雨的地方，我也没有养成备伞的习惯。

还在上学时，我就常常淋雨。

有一天，上生物课，生物教室在另外一幢楼。我是课代表，下课后得留一会儿帮老师整理仪器。就这短短的一两分钟，本是晴空万里的天空风云突变，刹那间窗外就黑了下来，大雨倾盆而下。我想着得赶紧回教室才行，不然就来不及了，赶紧跟老师告别下楼。

到了楼下傻了眼，雨点简直像是连成了一根线似的，连绵不绝。我鼓起勇气试探着往前走了一步，瞬间就被大雨给撞了回来。

此时此刻的我，面临着一个比大雨本身更大的问题。

我近视，而且是高度近视，离开眼镜一米外人畜不分。即便我真的可以用肉体硬扛这大雨，我也看不清眼前的路，估摸着稍有不慎就能摔个狗吃屎。正当我绝望的时候，突然一张纸巾递到了身前。我意识到是让我先把眼镜擦干再说，我看不清是谁，赶忙说了句“谢谢”就接过纸巾。

重新戴上眼镜的瞬间，我才发现在身边的是我当时很喜欢的一个姑娘。她笑吟吟地看着我，眼睛弯成一道月牙，什么也没说，把手里的伞递给了我。

我却局促地不知道该说什么，连句“谢谢”都没说出口。

姑娘捅捅我的腰，说：“愣什么呢，再不走就迟到了。”

我才回过神，接过伞，跟她一起走回教学楼。

其实她跟我不在一个教室，她那个时候也不应该会出现在实验楼。可我在当时什么都没反应过来。

我们走到教学楼屋檐下，姑娘收起伞，看了看表说：“我得赶紧回去上课了。”

我就站在原地，跟她挥了挥手，看着她的背影，一直到她走进教室。我至今还记得她穿的衣服的颜色，是一件粉红色的大衣。

那天我第一次觉得雨后的泥土味道是那么好闻。

四

我有次跟朋友提起这个理论：当你想念一个人、一个场景、一段时光的时候，你首先想起来的是那熟悉的味道。

有一年夏天，喜欢的人给了你一瓶可乐，于是你的夏天就是可乐味的；有次等待，你在街边点了一杯奶茶，于是你到现在还觉得等待就是奶茶味的。记忆会模糊，熟悉的气味却不会。就像以前的夏日雨后，你总能闻到空气中泥土的味道。

朋友听了若有所思，拿出手机飞速地刷了起来。

不一会儿他抬起头，跟我说："我刚才订好周末去昆明的票了！你要一起去吗？"

我摆摆手，说："最近没时间，你去昆明干吗？"

他嘿嘿地笑："去吃过——桥——米——线！"

我说："……好的，注意安全。"

几天后他回来了，说要找我喝酒。

喝了一杯又一杯，我突然想唱歌，刚想开口哼一句流行歌，他就打断了我。

我说："你打断我干吗？"

他说："你不想知道云南的过桥米线正不正宗吗？"

我可能是喝多了，突然对过桥米线正不正宗很感兴趣，直起身子，一本正经，眼睛里闪烁着求知的光芒。

他说："五年前我跟前女友在昆明待过，那时候天天在楼下吃过桥米线，每天吃得有滋有味也挺开心。后来我们一起来了北京，就再也没吃过了。我这次去昆明，也没怎么费功夫就找到了那家过桥米线，你猜怎么着？我居然吃不下去这过桥米线了。所以我也不是多爱吃过桥米线、多爱吃红烧牛肉面，只是那一年就只吃这些，而且是和她一起。"

听他说完，我说："那昆明的过桥米线正宗吗？"

他沉默，转身想走。

我连忙把他拽回来，认真地说："我们寻找过去的味道、气味，我们再走过那些街道、风景，只不过是为了心里的执念。"

有执念的事做完了，想不通的也就过去了。

五

后来的回忆里，明明只是云淡风轻地喝了几杯，在当时却是轰轰烈烈的宿醉；明明只是连绵几天的大雨，却像世界即将迎来末日。有时我甚至怀疑，当初的情感是不是真的存在过，又或者当年的那些事情我们到底是不是真的做过。

才明白记忆必须要依附在某些东西上才能真实。

可能是一首歌让你想起谁，可能是一条街道让你想起她，可能是那些味道让你想起曾经的朋友，又或者是那么一种食材让你回到童年。

有一年，我频繁熬夜，三天两头吃泡面。

那年我和我的室友都二十出头，学电影里的画面，喝最便宜的啤酒，脑袋里装着全世界，聊的都是未来和最不着边际的梦想。我说将来要写几本书，老王说将来要开演唱会，这时不知道是谁说了一句：“我们去看日出吧。”于是我们就二话没说，一起出发去山顶，边唱着《红日》边等太阳升起。

看完日出我们都饿了，回家一人拿起一盒泡面就开吃。

我们吃起泡面来嗞溜嗞溜响，吃完了再把汤喝得一干二净，摸摸自己的肚子再瘫在凳子上，仿佛吃了世上最美味的食物一样满足。

现在我偶尔还会吃泡面，可总觉得没那么好吃呢。

就像那时候我多爱一个姑娘啊，去找她的路上天气总是刚刚好，吹来的风从来就不冷。而我走起路都带着风，背后是情歌的旋律，心里扑通扑通盘算着一会儿要说的话，就怕自己发挥不好。就连街边的树都好像比平时可爱了，闭上眼我好像能闻到春天的味道。

后来我一个人又走了那条路，再也闻不到春天的味道了。

我想，那春天的味道，就是你吧。

Part 3
即使岁月留不住

我终于明白，这世上真的存在“来不及”。

喜欢你要怎么说出口

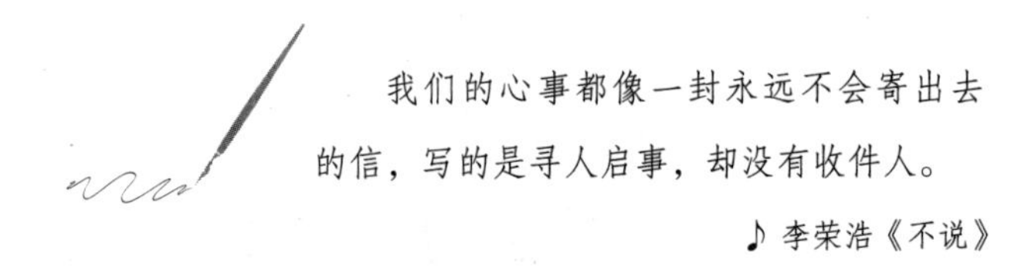

我们的心事都像一封永远不会寄出去的信，写的是寻人启事，却没有收件人。

♪ 李荣浩《不说》

一

最近北京天亮得越来越早了。

凌晨五点多，我依然没能睡着，正躺在地毯上，无所事事地看着窗外，等着城市苏醒。就在这个时候，放在一旁的手机突然响了起来，不仅把我吓了一跳，还把躺在一边的二筒也吓得从沙发上直接蹦了起来。

我一边忍住想骂人的欲望，一边又好奇到底是哪个王八蛋到这个点还不睡觉。

一看来电显示，居然是刘校文。

最糟糕的是他不仅打电话骚扰了我，还告诉我他就在我家楼下。

当我打开门的时候，他戴着耳机，带着猫粮，我看在猫粮的面子上才放他进来。只见他风尘仆仆，发型也被窗外的大风吹得乱成了一团。

他匆匆跟我打完招呼，径直走向二筒，开始对它说话。

…………

我当然知道老刘不是真的在跟二筒说话，他是在对自己说。

二筒是我养的一只猫，在来我家之前，它曾经短暂地有过一个奴仆。后来那个人去了广东，不知道什么时候能回来，于是二筒就被放在了我家，有了我这个新主人。

二筒本来也不叫二筒，主要还是因为我喜欢“二筒”这个称呼，所以它欣然接受了这个新名字。

（反正它也听不懂。）

是的，老刘很喜欢二筒之前的主人，七喜。

二

老刘跟七喜的相识，要追溯到二〇一四年。

他们原本不太熟，甚至都不在同一个城市，却都热衷于一个又残忍又很有年代感的游戏——红包接龙。

顾名思义，就是有人会在群里发红包，拼手气大家一起抢，抢到最少的人要接着发。

你看，这游戏就真的很无聊，也很残忍……

有一天，他们被拉到了一个群里，故事就此开始。

因为他们两个人的手气……实在是不行。

两个人简直就是在轮流发，轮流输。

以至后来老刘加七喜好友之后说的第一句话就是："怎么还有跟我一样倒霉的人呢？"

七喜说："我有一个转运的办法，你想不想知道？"

老刘说："想。"

七喜说："给我转账二百块，我就告诉你。"

等到老刘真的转账了二百块，他才惊呼自己还是太单纯。

时间一晃而过到了夏天，七喜拿着两套衣服，箱子都没带就杀来了北京，据说她想来北京的原因也是想要转运。她重新找了份工作，在朝阳群众聚集的地盘住了下来，刚好跟老刘住得很近。

线上的友谊发展到了线下，两个人开始时常聚会。

但想必你也知道，线上的友谊发展到线下的时候，大家往往会发现在网络上无话不谈的两人，原来在现实中的性格完全不一样。

如果说有人说话轻声细语，慢条斯理，让你觉得如微风吹拂；

那七喜简直就是十二级台风，来势凶猛又转瞬即逝，你有时候压根就没听清她到底在说什么，只觉得这个人一惊一乍的。

老刘这人说话倒也不轻声细语，他是压根就不说什么话，聚会的时候最沉默，轮到他喝酒了也不含糊，拿着酒杯就喝，喝完依然不说话。

我有时候都很纳闷，明明这个人在社交网络上的话出奇地多，怎么到现实中就不说话了呢？

这之后的一天，发生了一件小事。

那天一群人聚会，说要玩什么喝酒游戏，一说到喝酒游戏，就得考验反应和说话能力。

毫无疑问老刘一败涂地，喝倒在了地上，怎么拽都走不动道。

是七喜打了个车把老刘扛回家的，第二天老刘醒过来，冰箱里多了很多甜点和牛奶。

冰箱上贴着一张小字条：牛奶给你醒酒，甜点都留着，是我的。

三

又过了几个月，到了七喜的生日。

老刘想了很久到底要送七喜什么礼物，好报答那次的恩情，思前想后决定自己动手组装乐高。聚会上七喜一个个拆礼物，老刘却在旁边坐立不安，因为他看到别人送的东西要不就很名贵，要不就很用心。他紧张得手心都是汗，心想自己送的东西是不是太寒酸了，倒不是怕七喜会嫌弃他，而是害怕七喜当着所有人的面拆开这个礼物的时候，会在别人面前丢脸。

其实乐高很好，这个礼物也很有心意，可当时的老刘毫无信心。

七喜拆开礼物，发现了熟悉的乐高模型，扭头看向老刘。

老刘不好意思直面七喜的眼神，赶忙低下头支支吾吾地解释："以前我们逛街的时候，你说……你说了句这个模型挺好看的。"

七喜哈哈大笑，说："我随口说的一句话你都记得啊？"

老刘瞬间涨红了脸，七喜不再跟他开玩笑，给了老刘一个轻轻的拥抱，说："谢谢你，我很喜欢。"

这句话让老刘的所有不安都消失了，确切地说，是让他的所有心思都消失了，全世界只剩下七喜的那个拥抱和他自己的心跳声。

从此以后，他再也没能缓过神来。

聚会结束时，七喜已经喝得走不稳路，老刘搀着她，说："我送你回家吧。"

七喜说："好啊，先陪我去便利店买冰激凌吧。"

结完账走在寒风中，老刘哆嗦着问："为什么大冬天的你也要吃冰激凌？”

七喜坐在台阶上，说：“我分手之后才爱上的，不管冬天还是夏天，如果心不能甜一点，就让胃甜一点吧。”

老刘站在一旁，想要说什么，却始终没有说出口。

四

我和老唐都知道老刘喜欢七喜，因为在七喜不在场的场合，老刘也时常提起她。

二〇一五年的冬天，老刘来找我。

他问我：“老卢，你知道暖气坏了应该怎么修吗？”

我疑惑地说：“我是个南方人，这也是我第一次接触到暖气这东西，不太清楚，要不找找物业。你家暖气坏了吗？”

他摇摇头，说：“不是我，是七喜家暖气坏了。”

我说：“那你让她找物业啊。”

他说：“七喜最近不在家。”

我八卦起来，说：“那你怎么知道她家暖气坏了？”

他摸摸鼻子说：“是上次我去她家找她的时候发现的。”

我脸上浮起阴险的笑容，说：“哦哟，可以呀，孤男寡女共处一室。”

他赶紧摆手，说：“你想什么呢，我们好几个人一起去的，那时候天还不太冷。”

说到这里他面露愁容，说：“是啊，那时候天还不太冷，现在这么冷，她回家了哪儿受得了？”

我还没来得及说话，他又自顾自地刷起淘宝，问我：“你觉得哪个电暖气比较好用？”

我没回答这个问题，问：“你这么喜欢她，为什么不表白？”

他说了一段很有文艺气息的话：“我们的生活方式完全不一样。她热烈，我沉默；她喜欢翻山越岭去追逐北极星，我想我更适合舒服地躺在草坪上看星星。最后都是分道扬镳，走不成殊途同归。”

他接着说：“这段时间我们几乎每天在一起，她喜欢一个人时的眼神我一眼就能看出来。我从来没有在那个眼神里住过。”

我知道他没有完全说实话。

还有一个原因，一个很重要的原因。

七喜从来没能忘了自己的前男友。

不久前我们几个人一起去看话剧，看到一半七喜就哭了。

因为七喜的前男友是个话剧演员，跟他谈恋爱时，他总会跟七喜一起在家先对一遍台词，把剧情练习一遍。

我想，她一定是想到他了吧。

不知怎的我突然看向老刘，他正在手忙脚乱地找纸巾。他动了动嘴可还是什么都没说，只是把纸巾递了过去。

千万句想说的话，变成无声的默剧。

十二级台风，怎么跟小桥流水在一起呢？

于是明明很喜欢，却假装不在意。

五

都说两个人相处，只存在两种可能性：要么成为朋友，要么成为恋人。眼瞅着他们向着朋友的区域飞奔而去，我们心想一定要撮合他俩。如果全世界只有一个人可以给七喜幸福，除了老刘，不做他想。

有一天我们去唱歌，怂恿老刘去表白。

老刘说："我不要。"

我说："表白了不成功能怎么样呢？"

他说："我可能会死。"

老唐说："人生自古谁无死，早死晚死都是死。"

我赶紧打断老唐，说："死什么死，万一成功了呢？就算只有万分之一的可能，跟幸福比起来，你不觉得可以试一试吗？"

老刘还是一个劲地摇头。

我跟老唐对看一眼，心生一计，一起给老刘灌酒。

酒过三巡，我们微醺，整个世界都突然美好了起来，我站起来说："老刘，如果你真的不知道该怎么表白，就唱歌给她听啊！你不敢太直白，把所有情绪都藏在歌里面总好了吧！"

他才终于拨通电话，说话却又支支吾吾，说："七喜，你……你有空不？我……我给你唱首歌吧。"

然后他开始小声地唱起歌来，紧张得压根找不到调，到了副歌的时候才进入状态，可这状态又过了头，唱到最后几句的时候，我们都能听出来他的声音里竟然带着一丝哽咽。

挂电话时他哭了，我们赶忙问："怎么样，成功了吗？"

他说："电话刚打过去她有事就先挂了，我对着空气唱完了整首歌。"

我心一沉。

我们的心事都像一封永远不会寄出去的信，写的是寻人启事，却没有收件人。

老唐不死心，发微信给七喜，好说歹说把她叫来KTV。老刘看到七喜的一瞬间，眼神明亮起来，嘴角开始上扬，本就是微醺状态，现在变成心神荡漾。

那一瞬间我想，喜欢一个人真是好啊，整个人都能明亮起来。

两个人坐在一起，七喜抱歉地说："不好意思啊，我刚才确实是有事。你想唱什么歌？"

我赶紧帮忙，跑到点歌台前面点了一首《我爱的人》。

老刘像是下定决心似的，深吸一口气刚拿起麦克风，七喜却一把抢过麦克风，说："我会，我来唱，我来唱。"老刘顿时泄了气，整个人眼神都黯淡了下去。

以我对他的了解，他那好不容易鼓起的勇气，此时已经消失得无影无踪。

最好的时机过去了，大概就不会再有了。

唱歌散场，七喜搂过老刘说："你们不是总让我走出来吗？我最近喜欢上一个人啦。"

老唐赶紧接过话茬儿，说："那个人是不是就在这里呢？"

七喜笑着说："你可别自恋了，他不在这儿。"

她说这句话的时候，我就在旁边，看着老刘尴尬得连笑都笑不出来。

或许有时我们应该庆幸，有些歌没有唱出口，就永远没有曲终人散。只要没说出那句话，就能假装没心事。

可我还是觉得奇怪，心想七喜不该没有发现老刘喜欢她啊，就拉着老刘问："上次你到底有没有送她回家？"

老刘说："有啊。"

我说："送她到家门口了吗？"

老刘说："没有，我打车顺路，就把她放到小区门口了。"

我哭笑不得，不死心地又问："那电暖气呢，你送了吗？"

他说："送了啊。"

我心急地问："她啥反应??"

他摸摸头，说："我收件地址直接写的她家，她应该不知道是我送的吧。"

我恨铁不成钢，焦急地说："你喜欢别人怎么就不表现出来呢？"

他说："我想跟她多待一分钟，想送她到她家门口。可我不敢跟她再多待一会儿，我怕我忍不住告诉她我喜欢她，我甚至不敢多看她的眼睛。"

我问："为什么呢？"

他说："我怕她知道了，我们的距离会变得越来越远。"

我举手投降，对他无计可施。

又突然想起塞林格的一句话："有些人觉得爱就是性，是婚姻，是清晨六点的吻和一堆孩子，或许爱就是这样，莱斯特小姐，但你知道我怎么想吗？我觉得爱是想要触碰却又收回的手。"

六

老刘知道七喜过去的所有故事，所以当他知道七喜喜欢上别人时，他大概是真的发自内心地开心。可糟糕的是你永远不知道自己多喜欢一个人，直到看到她爱上别人。

没办法逆转。

原来他这么喜欢她。

原来他根本放不下。

他不止一次梦到他们在一起，他想对七喜说"我喜欢你"，可每到这时候，他总是惊醒。

梦境也跟现实一样，永远没下文。

他开始正儿八经地帮七喜追那个男生。

七喜大概也没发现，那阵子他可以直视她的眼睛了，虽然仅有那么几次。

七喜问："我这条微信应该这么回吗？"

他说："你就这么回，如果我是这个男生，我肯定会开心的。"

七喜问："我应该经常把他约出来吗？他好像还挺难约的。"

他说："喜欢一个人当然应该把他约出来啦，多见一次面就多一次机会。"

七喜终于鼓起勇气表白，却和老刘同病相怜。

那天晚上老刘送她回家，他知道七喜心情不好，就陪她一起吹风，一直陪到早上七点。

两个人一起轧马路，都快从三环走到了四环，每走过一个便利店，他们都会买两个冰激凌。其实老刘胃不好，可还是这么陪着她，就这么慢慢走了一晚上，一直走到太阳升起。

他用尽全部力气安慰她，却没有办法说出那句，我喜欢你。

喜欢是一种多么贵重的东西，贵重到所有人面对自己喜欢的人，都说不出口。

他想，就这样吧。

他想，如果她可以开心，那他就做她身边的萤火虫。

两天后他们聚会，七喜突然说自己要去佛山。老刘什么都没说，跑到阳台自己抽了根烟。

他觉得自己正在沉入深深的海底，呼救声也是沉默的。

七

故事的然后呢？

故事的然后是他终于表白了。

那天是七喜要起程去佛山的前一天，老刘帮她收拾行李。

他一眼就看到了一只猫，看到了二筒，说：“加菲猫真可爱啊，可惜以后见不到了。”

“我交给老卢了，”七喜说，“你可以去他家看看它。”

老刘说的，其实不仅仅是猫。

当他帮七喜收拾打包好所有行李，跟她告别时，七喜说：“当年我来这里其实不是为了转运，是为了忘记一个人。”

老刘问：“然后呢？”

七喜拍拍老刘的肩膀说：“然后我就遇到你们了呀，来北京真的太值了。”

老刘看着七喜的笑容，终于忍不住说：“你要走了，我会想你的。”

七喜说：“我也会想你的。”

老刘用把心都掏出来的力气说：“我的意思是我会很想你很想你。”

七喜愣在原地，问：“怎么了……”

老刘终于还是说出了那句话：“我的意思是，我喜欢你。”

我以前听别人说，这世上有两件事情是藏不住的，一个是咳嗽，一个是喜欢。

藏不住的，喜欢会从你的眼神里溢出来，喜欢会从你的举动里表现出来。

最后鬼使神差，你还是会跟她说那句“我喜欢你”。

七喜当时整个人都是蒙的，她始终不愿意相信老刘喜欢她。

喜欢她为什么不表现出来？

喜欢她为什么总是不送她回家？

喜欢她为什么要在她喜欢别人的时候毫无保留地帮她追另一个人？

我无法回答，她也无从知道答案。或许老刘自己也无法回答。

只是他告诉我，他很喜欢我写过的一句话：

“我是一个对你百般挑剔未必说，对你有好感临死未必讲的人。宁可你消失的时候急得满世界找你，去任何你可能出现的地点，也会在街角看到你身影的时候假装不经意路过。宁可让你觉得我不在意你，也要死要面子活受罪怕自己过于爱你。所以未来的日子里我意识到，这可笑的自我保护意识和自尊心会与我如影随形。”

除非喜欢到想要跟她一辈子在一起，否则他什么都不会说。

但他最后还是表白了。

我想，就是这么一回事了吧。

直到七喜要走，他才终于确定了自己有多喜欢。

不是那种在街上看到好看的姑娘惊鸿一瞥的喜欢，不是那种有时睡前收到她的信息会突然心动的喜欢，是那种想要跟她在一起一辈子的喜欢。

喜欢到所有的自我保护意识都不重要了。

八

可七喜还是去了佛山。

临走时她说："如果你早点说，或许我不会做这样的决定。"

老刘说："即使我早点说，或许你也不会考虑我。"

七喜没有回复他。

如果没有时差就好了，我喜欢你的时候你恰好喜欢我。

有时就算你沿着你喜欢的人走过的路再走一遍，她也不会回头看你一眼。因为你喜欢的是曾经的她，她喜欢的是曾经的另一个人，所以你们之间永远有时差。

原谅我无法续写这个故事。因为故事的结局就是这样。

我听着他对着我家的猫说完了所有的故事。

他想，只要她能开心，他愿意用尽自己的力气去做到最好。

我突然想起有一次，我去他家玩。

我打开冰箱，原本是想找几瓶啤酒，冰箱里却放满了甜品。

我问："你一个大男人，冰箱里为什么放满了甜品？"

他说："万一有一天她来我家玩呢？"

可是他错过了时机，喜欢的人已经离开了这座城市。

他不知道应该怎么办，只能在我家对着猫说话。

相聚那么短，别离那么长

整个世界都不在乎这只流浪狗，直到它遇到她。整个世界都不在乎青青的感受，直到她遇到它。

♪ 林俊杰《可惜没如果》

一

先从一部电影说起。

电影的名字叫《忠犬八公的故事》，主角是一只叫八公的狗。没有人知道它是从哪里来的，幸好它遇到了一个好主人。自此八公每天都会送教授上班，五点准时在车站等着教授下班，然后摇摇尾巴扑向教授。

八公有一个特点，就是不爱跟主人玩球。

有一天教授上班前，它一反常态地叼起球，想要哄教授开心。

可也就是那天，教授在上课时突然倒下，因心肌梗死突发而死亡，再也没有回到那个车站。之后每天傍晚五点，八公都来到火车站前等候、凝视，等待它的主人回来。第二天，第三天，从夏季到秋季，九年时间里，八公风雨无改，直到它最后死去。

聚会时我放起了这部电影，青青看到一半就开始抽泣，电影还没有放完她就已经号啕大哭。

我递过去一沓纸巾，她边哭边讲她跟一只狗的故事。

二

她是在五年前的一天夜里遇到点点的。

点点是只流浪狗，每天夜里都没地方可去，就窝在她家小区门口的一排自行车中。有天青青下夜班回家，从超市买了些吃的准备往家走，突然听到身旁一声狗叫。

她吓了一大跳，转头看见一只脏兮兮的流浪狗瞪着眼睛看着她。她本来想转身就走，却发现它后腿正流着血。

她本想不管径直走过，心想一只流浪狗有什么好管的。可与它四目相对的时候，青青还是心软了。

她在原地愣了一会儿，心想附近就有宠物医院，可她一个人实在抱不动它，就打电话给当时的男友。男友皱着眉头赶了过来，看都没看狗一眼，拉起她就走。

她说："等等，它在流血……"

男友说："关你什么事，这世上流浪狗这么多，你还要一个个救？你闻不到它一身的臭味吗？"

青青犹豫了会儿，想了想，从袋子里拿出一根香肠，小心翼翼地丢了过去。

这之后，心一狠，还是回了家。

回到家后她心里越想越不是滋味，第二天起了个大早，想去看看那只狗怎么样了，却发现那只狗已经不在了。她暗自祈祷着是一个好心人把它送去了医院。

一星期后，她又忙到深夜。

到了小区门口才发现那只狗蹲在一旁，呼哧呼哧地喘着气。

青青喜出望外，转身想去超市给狗买一点香肠，心想这也是缘分。狗却突然大叫起来，一副要咬人的样子。

青青吓得后退三步，心想亏我还买东西给你吃，她示意狗安静下来，没想到它却越叫越大声。

听到叫声的社区保安大哥从值班亭走出来，作势要赶狗，嘴里没好气地嘟囔着："去去去，吵死了，叫什么叫……"

话还没说完，他突然大喊了一句“别动！”，拔腿就向着青青身后的方向追去。

她压根不知道发生了什么，顺着保安大哥的方向往后看，才突然发现自己的包被划开了一个口子。

十几分钟后，保安大哥拿着一个钱包回来了，气喘吁吁地说：“这钱包是你的吧，下次要小心啊，临近年关到处是小偷，你看看还有没有丢什么？”

青青惊魂未定，赶紧翻翻包，说：“还好还好，没丢什么。”

然后她蹲下来摸摸狗的头，说：“你刚才叫是想告诉我这个吧，谢谢你。”

说来也怪，狗像听得懂人话一样，顺从地蹭了蹭青青的腿。她问：“这只狗有名字吗？”

保安大哥说：“一只流浪狗哪儿来的名字？”

青青看狗一直点着头，想了想，说：“那你就叫点点吧，我叫青青。”

点点听懂了自己的名字似的，把头往青青手上靠。

不一会儿手机响了起来，男友催她回家。

接完电话，青青赶紧起身往家走，没想到点点居然跟着她走了起来。可点点走不快，因为腿上有伤，只能一瘸一拐地跟在后头。

青青看着心疼，停下来对保安大哥说："大哥，你能不能先帮我照顾它？"

保安大哥一口回绝，说："别别别，我可照顾不来，我看它这么喜欢你，你还是抱走它吧。"

青青想了想，蹲下来对点点说："点点，是你帮我找回了钱包，来，跟我回家。"

回家路上青青一直盘算着怎么跟男友说点点的事，打开门才发现他妈妈也在。

青青礼貌地打招呼，男友妈妈却没理会，捂着鼻子说："哎哎哎，你抱的是什么玩意儿，这么臭带回家干吗？"

她赶紧解释："阿姨你不知道，我的包差点丢了，是它帮了我……"

话还没说完，她男友不知从哪里冲了过来，一把夺过点点就往门外丢。

青青来不及喊点点的名字，男友就一把关上了门。

他责备道："青青，你能不能懂点事，我妈在这里你还抱这么臭的一只狗回来？"

青青说："它今天帮了我！我想养它！"

男友嗤之以鼻："它哪里懂什么帮人，不就是想卖个乖，让你这种心软的人把它抱回来吗？"

青青还想争辩，阿姨打断了她："青青，阿姨看你们同居这么久了，你也老大不小了，总是这么占着我家儿子便宜不太好。我看我儿子挺喜欢你的，你俩尽快结婚吧。"

青青说："阿姨，我没占你儿子便宜，房租我也付一半的。"

他妈妈说："你为了我儿子来北京，想要什么我能不知道？我不跟你争这个，我是来通知你的，下个月你们就结婚。"

青青内心一股怒火，可还是忍了下来，拉着男友的手说："你跟阿姨说说，我好不容易找到喜欢的工作，等我工作再稳定点就结婚。"

男友却说："我妈说得……也有道理，咱俩恋爱这么多年了，不能再这么耗下去了。"

他妈妈嘟嘟囔囔："这姑娘怎么这么不懂事？对了，那只流浪狗是怎么回事？存心的吗？"

男友说："妈，那就是小区里的一只流浪狗，我不会让它进家门的。"

我不懂事？我不懂事还自己拼命找工作？我不懂事还坚持要付房租？

青青觉得委屈，放开了男友的手，说不出话来。

男友送他妈回家，这期间青青在沙发上默默掉了会儿眼泪，突然想起点点。不知道它现在怎么样。想到这里，她立马穿上衣服出了门，刚下电梯就看到了不远处的点点。

原来它一直没走远。

她蹲下来摸摸点点的头，说：“点点，对不起，姐姐暂时不能带你回家了。留在这个城市有多不容易，我想你比我还明白。”

她说：“点点，姐姐还有很多烦心事，可惜你听不懂。”点点抬起头看着她，眼珠子骨碌碌地转，像两颗黑珍珠。

她接着说：“姐姐跟你说啊，姐姐有个在一起四年的男朋友……”

说着说着，她眼泪就忍不住往下掉。“姐姐是个特别要强的人，从来没主动问他要过一分钱，从来没有。可为什么他妈妈说我占他便宜呢？他也不帮我，还说我耗着他。”

点点的眼珠子不转了，它用前爪拍了拍她的手。

青青惊喜地认为点点听懂了她的难过和歉意，蹲下身抱着点点哭了出来。

三

青青放不下四年的感情，放不下他，选择了妥协。

她也放不下点点，只能把点点安顿在地下车库的一个角落里，为它简单布置了一个家。

那几天，她还会陪点点玩会儿，可后来时间越来越少，她也为了争一口气，拼命加班，只好每天早上出门前去看看点点，然后给了保安大哥一点钱，拜托他时不时买点狗粮。

有一天早晨她不小心睡过头，穿上衣服就狂奔到公司，忘了去看点点。回家时已经凌晨，整个人晕晕乎乎，世界一片寂静，没有一丝色彩，直到她在小区门口意外地看到点点。

点点老远就看到青青了，可它瘸了一条腿走不快，只能慢慢地向青青靠近。

青青赶忙跑到点点身边，点点拼命摇着尾巴，在原地围着青青转圈圈。

故事说到这里，她眼眶又红了，说："所以我特别懂教授看到小八在等他的心情。"

我以前一直在想，为什么狗能知道主人什么时候回家。

看了《忠犬八公的故事》后才突然明白，大概是有一天小八听到了火车汽笛声，然后听到了人群嘈杂的声音，有那么几个人会跟它打招呼，接着它的主人就会出现。它试验了几次十几次几百次，终于确信了这就是真理。

只要太阳开始落山，接着响起火车汽笛声，主人就会出现啦。

小八一定是这么想的。这是它总结出来的规律，这是它推断出来的能等到主人的方法。

直到有一天教授再也没能回来，它还是满心期望着，只要按照这个方法等，一定能等到的。

于是一等就是九年，对小八来说，一等就是一生。

青青继续把故事讲了下去。

后面的故事，我大概也知道一些。

婚后半年她就离婚了，因为两个人意见不合，实在不合适。

结婚前她以为只要拼命努力，就能改变他的家人对自己的看法。结婚后才发现不合适就是不合适，就算她努力工作努力赚钱，也还是受欺负。

恋爱是两个人的事，婚姻却是两个家庭的对接。

婆婆说话越来越刻薄，甚至看不起她的父母。她以为老公会多少向着她一些，却发现老公越来越沉默，越来越不理会她。

她忍耐得够久，跟她妈妈打电话时大哭一场，终于下定决心。

这时她说起，在她结婚前的一个周末，难得休息，她买好了狗粮去车库找点点。

点点却不见了。

她喊着点点的名字找遍地下车库，找遍整个小区，终于在小区门口看到几个少年围着点点，用石头块轮流扔它。

瘸了一条腿的它根本跑不掉，只能“呜呜呜”地叫，叫得青青整颗心碎成几片。

她疯了一样地冲了过去，声嘶力竭地喊：“快停下！”

带头的一个少年说：“大姐，一只流浪狗而已，至于吗？”

青青用尽全身的力气推开他们，说：“这是我的狗！我的！”

这时点点已经被砸得满头是血睁不开眼睛了，可它知道是青青来了，居然挣扎着站了起来。

青青流下两行眼泪，不顾一切地挡在点点身前，哪怕对方是几个少年，哪怕自己根本打不过他们。少年们见状摊了摊手，哄笑着走了。

青青抱起点点，眼泪一滴滴掉下来，说：“对不起对不起……是我懦弱是我不好是我没照顾好你……都是我的错……”

点点用尽最后的力气爬到了青青的怀里，嘴里“呜呜呜”地叫。可它已经叫不出声来了，每声“呜呜呜”都变成了沙哑又轻声的“嗷嗷嗷”。

青青抱着点点泣不成声。

从宠物医院回来，青青不顾男友的脸色，自顾自地把点点抱在怀里带进了家。

她一边抱着点点一边说：“你看，这是姐姐的房间，这是姐姐最爱看的书。”

点点耷拉着脑袋，认认真真的样子，似乎真想记住点什么。

青青说：“这里就是你的家了，姐姐不会让任何人欺负你的。”

男友当然不同意点点住进家里，青青扭头跟他大吵一架，在门口拉住男友跟他理论。

男友最终妥协，可以在储藏间给点点一个位置，条件是点点必须待在那儿不能出来。

青青欣喜地跑到客厅找点点。

点点却不见了，她才发现刚才一直忘了关门。

这一次，再也没有找回来。

它能去哪里呢？

一身伤的点点能去哪里呢？

她一夜没睡，找了整整一个晚上。

第二天，保安大哥找到她，说：“狗死了，就在早上，死在垃圾堆里，被当成垃圾拖走了。”

保安大哥说得轻描淡写，转身走了。

整个世界都不在乎这只流浪狗，直到它遇到她。

整个世界都不在乎青青的感受，直到她遇到它。

后来呢?

抱歉，没有后来了。

四

故事不长，可花了很久，青青才说完这个故事。

她眼泪一直止不住地往下掉。

她一字一句地说："第一次遇到点点的时候，我甚至有点嫌弃它。最开始的时候，我不过给了它一根香肠而已，它就把我当成了这世上最好的人。我真的没有那么好，我听人说，狗在即将死去的日子里，为了不让主人伤心，会把自己藏起来，安静又孤单地死去。我那天什么都没有看出来，我以为它像上次一样，慢慢地伤就好了。"

她接着说："我再也没办法养狗了，因为狗太好了。好到你怀疑自己，到底自己有什么样的魔力。我太自私了，我欠它的太多，这个重量可能让我再也没有办法去面对另外一只狗了。”

我看了看身边的二筒。养宠物的人或许早晚都有一天要面临离别，我不知道我到时候会是什么样的心情，也不知道该怎么安慰她。她看懂了我的眼神，说：“没关系的，我会变成一个更好的人，变成点点爱的那个样子。”

然后她问我：“你家里有能打印照片的打印机吗？”

我一愣，说：“有啊，书房里就有。”

她说：“你想不想看看点点长什么样子？”

照片是一张模糊的合照，是在黑夜里拍的，勉强可以看出来一人一狗。

我问：“怎么拍得这么模糊？”

她说：“这是有天晚上我出门去便利店的时候，让门口保安拍的。我有个小毛病，视力一直不太好，加上长久以来的挑食，导致轻微型夜盲。点点在和我相处的日子里可能发现了这个问题，因为我在它面前摔过一次。后来只要我半夜出门买东西，它就走在我前面，当我的眼睛。”

我把照片递了过去，过了会儿，我听到她喃喃自语。

简简单单四个字：“我很想你。”

回不去的地方叫家乡

想念是你自己制造的时光机，你自己给自己放的老电影。

♪ 米津玄师“Lemon”[1]

一

我有两个奶奶。

从我记事起，无论是妈妈的妈妈，还是爸爸的妈妈，我都叫奶奶，所以我从小就没有外婆的概念。后来我才知道，因为我跟我妈妈姓，所以两个都是我的奶奶。

也因为这样，我童年的大部分时间都是在我妈妈这边住着，记忆里很少会回爸爸的老家。

1　中译名：《柠檬》。

我的童年是属于乡下的。

小时候家门口是一条泥路，再远点有一座小山。小山脚下住着几户人家，院子里种着小菜。不远处还有几片田地，到了秋天便是一片金黄。我的乐园是泥路另一边的小沙地，我和几个小伙伴聚在这里玩弹珠，直到黄昏到来的时候，才意识到时间被偷了个精光。

这时候的街道边最是热闹，老爷爷们支着自行车卖糖葫芦，卖棉花糖，所以我总会绕个路先去那儿。街边的阿姨大婶都认识我，笑着跟我打招呼。等到天气最热的时候，我还会跑到家里，拿上切好的西瓜送给她们。她们总会摸着我的头，夸我乖。

只是一个小镇也就那么大，热闹的地方也就那么多。虽然那时候我很小，但这么一路下来，其实最多也就会花去我一个小时。

所以偶尔还是会腻，在小镇待得久了，就想去我爸的老家看看。

我爸的老家在一座小岛上，去那儿得先坐一艘大船，我喜欢站在栏杆边，吹着风看一望无际的长江，想着长江的滚滚流水到底会流去哪里。到了岛上，就跟着长辈们去江边捕鱼，再趁他们不注意玩会儿泥，把自己弄得满脸脏。

那时候的我站在江边，还喜欢做一件事，就是张开自己的双臂，假装自己可以飞翔。风吹过脸颊，用力吸上一口，可以闻到类似雨后泥土的味道。

有时候我还会偶然邂逅一只小螃蟹，它们最喜欢藏在石头里。

所以我喜欢这里。

我爸呢，一回到自己的老家，就会说起他跟我妈谈恋爱的故事。

他总是说起一个小小的码头，坐落在这座小岛的西边。那时候交通不便，还没有轮渡，要去另一边的镇里，只能坐渔船。所以我爸想要见到我妈，就得起一个大早，拜托渔民把他带到对岸去，然后便立马跑到小镇找到我妈，两人沿着镇里一阵溜达，没一会儿回去的时间就到了，只好再坐渔船回来。

听到这里的我妈总乐呵呵，笑容挂在脸上，说："你看，我就说是你爸追的我吧。"

我爸说："不是不是，这只能证明我们是自由恋爱，没有谁先喜欢谁。"

我妈倒也不争辩，只是对我说："你看我们洋气吧。"

这个码头的另外一边，住着我奶奶。

二

其实我对奶奶的回忆，并没有多丰富。

因为年纪小，去的次数也没有那么多。

还因为即使是在我很小的时候，奶奶也已经满头白发了。

我爸是他们家最小的孩子，我大伯比他大了将近二十岁，奶奶四十三岁的时候，才生下我爸。

于是自我记事起，奶奶便已经老了，仿佛她生来就是老人。

偏偏小时候的我又贪玩，到了小岛就放飞自我，总是没能跟奶奶好好说上几句话，就一溜烟跑得没影了。

我说句："奶奶好。"

奶奶笑着说："浩浩好。"

打招呼的时候，我总是不会多说一句话。

等到我在外面玩够了，也到该吃晚饭的时候，我才想起得回家了，一溜烟地向着家的方向跑。

这时候的奶奶坐在门口的椅子上，看到我的身影，还隔着老远就开始喊："浩浩回来啦，来赶紧吃饭，我们这里的鱼都是刚捞起来的。"

吃过饭，一大家子就嗑起瓜子，聊一些我听不懂的事情。我又开始觉得无聊，就拉着跟我差不多大的孩子们去外头。等我再次回到家的时候，家里依然热热闹闹，大伯二伯跟我爸依然喝酒说着话，这时我总能看到这样的场景：

我奶奶依然坐在一边，一脸笑容却不说什么话，也插不上什么话，偶尔有个关于她的话题，她就乐呵呵地接上两句，想要继续说些什么的时候，话题已经离开了她。

我不知道为什么，看到这样的场景就会觉得很难过，才终于想到应该跟奶奶说会儿话。

于是我奶奶总是问我："今天的鱼好吃吗？"

我点点头。

奶奶又接着问："学习怎么样？"

我拍拍胸脯，自豪地说："特别好。"

奶奶就摸摸我的头。

三

我又长大了一点，告别小镇，搬去了市区。小镇都很少回去，那座小岛就更少去了。

我再也没有看到那辆卖糖葫芦的自行车，再也没能坐在院子里的台阶上看偶尔路过的蚂蚁。

偶尔有那么几次，回到小镇，却发现小镇慢慢地变了样。

泥泞的小道变成了柏油路，远处的小山即将被开发成一个旅游景点，小山下住的家家户户都不见了，那些院子也不见了，再不见那蜿蜒的树藤。家家户户装起了空调和大彩电，近处盖起了新的居民楼，田野被赶到了远方。

到了夏天，也不再会有萤火虫，阿姨们也不再坐在门口了。

走在路上，好像已经没有人会跟我打招呼了。

那时候的小岛，却没有怎么改变。

也许是因为所处地理位置很难开发，这些年小岛的改变，似乎更集中在去往小岛的交通工具上。摆渡船更新换代了好几次，为了停靠更大的轮船，码头也重新修缮了好几次。

好在码头边的芦苇荡还在那儿，风一吹就开始摇曳，我张开双手，还能闻到雨后的泥土味道。

每当这时我就觉得开心，因为还能找到童年的味道。

奶奶也还是一样，在天气好的下午坐在门口晒半天太阳。等到天黑了我回去的时候，她才自己把椅子慢慢挪回去。

有一次我回去晚了，奶奶还是坐在门口等我，我赶紧说："奶奶，天黑了，快进去吧。"

奶奶却不搭茬儿，说："浩浩回来了，来我们去吃饭。"

吃完饭还是一个人坐在椅子上，乐呵呵地听着我们说话。

她也还是会问我："鱼好吃吗？"

我点点头。

我以为她会接着问我学习，可没想到她又问了一遍："鱼好吃吗？"

我说："奶奶你问过啦，好吃。"

那时我觉得奶奶一下子变得更老了，整个人像是缩小了一圈，说话也不太利索。

这之后的一天，我爸告诉我，奶奶年纪大了，开始老年痴呆了。

我问："什么是痴呆？"

我爸说："就是会变回小孩子的样子。"

我突然意识到，奶奶不知不觉被时间改变了，那么这座小岛又怎么可能没有改变呢？

以前吃完饭，大家还会一起热热闹闹地聊天，喝多了再各自回家睡觉。奶奶就算插不上话，也总还能在旁边听着。后来我们吃完饭聊天要掐着点，聊不了几句就得走，怕赶不上回去的那艘船。

大家都搬出去住了。

大家都离开这座小岛了。

这里的年轻人越来越少，这里的孩子也越来越少。

我还记得这座小岛上原本有一所初中，学生们放学了会路过奶奶家门口，也会笑着跟奶奶打声招呼。

那么，到底是从什么时候起，那所初中也不见了呢？

我不知道。

四

后来连我自己都没意识到，随着年龄的增长，学业变得愈发繁

重的同时，我的目光也不再聚焦在从前，那座小镇转眼被我抛诸脑后，小岛也是一样，我也没有那么想奶奶了。

我更想去看看外面的世界，看看别的城市是个什么模样；那空气里的泥土味道不再吸引我了，黄昏的时候也不觉得有什么特别的。

我不再去捕鱼，不会再让自己的衣服沾到泥土，也不会再去江边吹风。

我不再撒娇让我爸带我回去看看了。

逢年过节再次回到小岛的时候，我对这座岛的印象也变了。

没有电脑，手机信号不稳定，电视里只有那么几个无聊的电视台。

于是我待不了多久，就闹着要回市区。

这个地方太无聊了，那时的我想。

再后来，一般的节日也不回去了，也就只有暑假的时候回去一次，再之后便是大年初一。

一年里的这两天（有时是三天，元旦也回一天）是我仅有的能够见到奶奶的日子。

大年初一也成了这座小岛最热闹的日子，或许也是唯一热闹的日子。

因为长大后的人们无论去了哪儿，到了春节总会回到自己的根。

不过这些热闹都与奶奶无关，她只是一如往常，一个人晒半天太阳，什么话也不说。大伯二伯有时候会提起关于奶奶的话题，想着让她多说会儿话，可奶奶已经听不清大家在说些什么了，总要重复好几遍，才能听懂大概的意思。

可只有我，只有我喊奶奶的时候，她可以立马听到，然后说："浩浩，你回来啦。"

我点点头，说："回来啦，奶奶好。"

电视台放着春晚，我们也不想到外面溜达，就在屋子里一边吃着瓜子，一边唠唠家常。

这时候我爸想让奶奶进来热闹一会儿，可她还是不肯。

吃饭的时候，她好像也没法再坐在我们身边了，因为吃饭时坐的椅子很硬，她的身体受不了。

于是我们便轮流端些菜给奶奶，奶奶默默地接过去，默默地吃完，再默默地等我们把盘子收回去。

吃完饭，又是大年初一，我们便又热火朝天地聊了会儿，我看到奶奶一个人站了起来，对我们说："我先上楼睡觉去了。"便一个人默默地离开我们，离开这她无法融入的热闹氛围。

奶奶很高，真的很高，人们说她年轻的时候，比岛上所有的男人都高。

可我看着奶奶上楼的背影，觉得她一点也不高，她变得越来越小了，上楼的时候像个刚学会走路的孩子，每走一步都小心翼翼。

她再也没有问过我：浩浩，鱼好吃吗？

浩浩，学习怎么样？

再也没有过。

五

时间一晃而过，又过去好几年。

到了二〇一四年的元旦，想着好久没回去，爸妈带着我回了趟小岛。

院子里再也见不到奶奶的身影了，即便太阳依然挂在天空的正中间，因为她受不了这该死的冬天。她开始完完全全一个人生活，像例行公事一般吃饭、睡觉，好像生活里的一切都跟她再也没关系了。

只是她还能听到我的声音。

我说："奶奶好。"

她说："浩浩回来啦。"

我忍着眼泪，说："嗯。"

我爸说："你多跟奶奶说说话。"

我说：“奶奶，您孙子现在可出息啦，在写新书呢，有机会带给您看。”

奶奶一脸笑容地看着我，我想她大概已经听不清也弄不明白我在说什么了，可隐约觉得她孙子在跟她说好消息。

我突然想起我小时候，也是这么跟奶奶说话，然后从身后变出一张奖状。

但那样的对话，也已经过去很多年了。

这些年，我逐渐跟奶奶变得生疏。

因为许久没法见面，也因为没有从小在一起。

可每年过年还能看到奶奶，就觉得一切都好，一切都还很好。

只要奶奶还在，我总觉得这个地方还能再回来，还有再回来的理由。

只要奶奶还在，那些童年的回忆，就不会彻底地离我远去。

我希望不管是好的坏的，都能留在生命里，一个都不要走，一个都不能少。

那之后没几天，我就得离开张家港了。

我说想要在走之前再去看看奶奶，可到底还是没来得及回去一趟。

那阵子事情太多，最后匆匆忙忙赶到上海的时候，差点误了飞机。

我爸在我上飞机前给我打了电话，说：“浩浩，下次带个女朋友回来。”

我爸一说这个话题我就烦，说：“有什么好催的，这种事情都得看缘分，你看你跟妈妈不是自由恋爱的嘛。”

我爸说：“不是给我们看的，是给奶奶看的。”

我心一沉，隐约觉得有些事情可能快来了，可我不敢想。

不敢想，因为总觉得这种事情没有解，只会变成心里头的刺。

后来到了大洋彼岸，又开始忙碌，加上奶奶不会用电话，我们之间的联系，又突然间断了开来。

直到……

直到二〇一四年十一月十三日，我再次坐上回家的飞机。

下飞机时我没有看到爸妈，只看到了一个还算面熟的叔叔。

他接到我后半晌没说话，我问：“我爸妈呢？”

他没有回答我，只是说：“你奶奶今天走了。”

我大脑“嗡”的一下，突然间一片空白。

今天？是我在飞机上的时候吗？

我想哭，可是我一滴眼泪都没流。

六

直到葬礼那天，直到葬礼结束，我都没有哭。

送葬时，我第一次看到我妈妈哭得那么伤心，而我爸跟大伯、二伯三人都一言不发，默默地走在队伍的前头。我看着我爸的背影，突然间意识到，我爸爸没有妈妈了。

我低下头，什么也没再想，就这么跟着队伍一路走到殡仪馆。

真到了这个瞬间，我反倒觉得眼前的一切都不像是真的。

我觉得我应该想些什么的，说些什么的，做些什么的。

可我什么都想不到，什么回忆都没有，大脑的某个机能就像是在那个瞬间也一同死去了。

葬礼结束，在大家离开殡仪馆的时候，我终于想到了自己要说什么。

可我也只能在心里默念一句。

奶奶好，对不起，这么多年一直没有好好陪您。

没有回答。

我顿了会儿，转身走向离开的队伍。

我依然没有哭。

两个月后，我即将再次离开家，我跟我妈说要出门买点东西。

其实我也没有什么东西非要带上，就是想在外面待一会儿，等到商场要关门的时候，我才走到车库，开车想要往家赶。

这时我的脑海突然冒出了一个念头。

要不要去码头看上一眼？

于是我一路向着我们这座小城的边缘开去，没多久就到了目的地。

码头没开。当然没开，其实我心里清楚，清楚这么晚了，即便是到了这个码头，也去不了对岸。可我还是来了。

下车后我走到码头边，向着对岸望去，但看不到那座小岛，我想大概全世界的人除了我们，也没人知道在长江里，还有这么一座小岛。

那座岛上有芦苇荡，到了春天漫山遍野的花都会盛放；那座岛上有我的回忆，有我爸的回忆，虽然有了轮船，但那些渔船依然在那儿；那座岛上偶尔还会飞来一些萤火虫，岛边的泥土地里，你翻开一块石头，还能找到小小的螃蟹。

那座岛上还有那么一户人家。

那户人家里本来住着很多人，这个点了也会亮着灯。

可后来，孩子一个个都搬走了。

再后来，只剩下一个老人还住在那儿。

最后那户人家里的最后一盏灯也熄灭了。

我的奶奶去世了。

这时候我默默地冲着对岸鞠了个躬，我大脑死去的那一块活了过来，所有的回忆都涌了上来。

我每年过年都会跟奶奶打招呼，说一句“奶奶好”；我每次看到奶奶的时候，她总是坐在那把椅子上，不知道那把椅子现在去了哪里；还有奶奶上楼时的背影，一步一步小心翼翼的步伐，我看着她，看着她每走一步，就变小一点。

还有那些对话，那些声音。

奶奶说：“回来啦。”

奶奶问：“成绩怎么样？”

然后我变出“三好学生”的奖状，奶奶就总会笑出声来。

我又想到我原本应该好好安排时间的，这样就能临走时再回一趟小岛看看她。

我原本应该订早一班的飞机票的，早一点回来，这样我就还能听到她回应我，见上最后一面，可什么都来不及了。

我回到车上，突然间号啕大哭。

我终于哭了出来。

七

想念是什么呢?

想念是你自己制造的时光机，你自己给自己放的老电影。

可你没法跟记忆里的那个人说话，所以只能等电影放完，在深夜对自己说话。

我终于明白，这世上真的存在“来不及”。

来不及就是再也没有办法面对面地跟那些人说话了。

来不及就是等你终于开始痛哭的时候，一切却都回不去了。

生离死别。

一别，便是再也不见。

奶奶，鱼很好吃。

奶奶，我毕业很久啦，成绩特别棒，别担心。

今天是二〇一六年十一月十二日。

您离开我快两年了。

快两年整了。

如今我走过很多地方，也算是看过世界辽阔，却依然觉得故乡最好。就像你看遍了银河，也依然独爱你钟爱的那颗星。

小岛也终于躲不过被开发的命运，那栋奶奶曾经住着的小房子也被拆了。

听说小岛上建了个高尔夫球场，变得越来越好了，我还没有时间回去看看。

可我想念那小岛最初的样子，想念那个被废弃的码头，想念那儿停着的渔船，想念那所消失的初中，想念还能打滚的泥地，想念那闭上眼睛能闻到的泥土味道，想念地上偶尔出现的一排排的蚂蚁，想念那时在晚上回去的时候，还能跟您说上一两句话的我自己。

最想您。

奶奶。

你不知道在什么时候，你也曾成为别人的力量

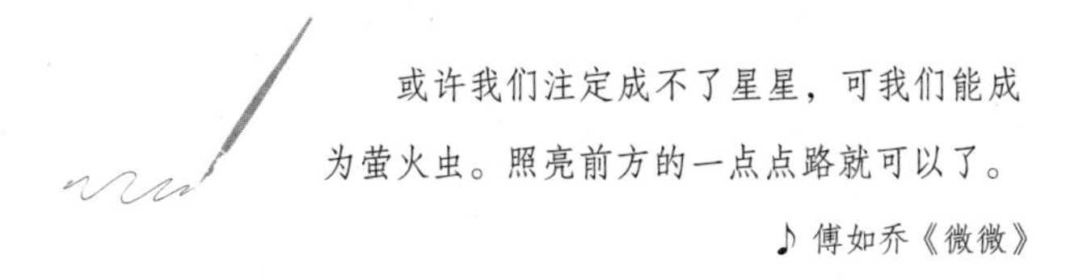

或许我们注定成不了星星，可我们能成为萤火虫。照亮前方的一点点路就可以了。

♪ 傅如乔《微微》

一

“一句话到底是不是开玩笑，只有被‘开玩笑’的那个人才能够决定。”

这句话希望每个人都能懂，尤其是尚未成年的人。

校园暴力成了很大的问题。

最糟糕的是，很多人都不知道，自己也曾或主动或被动地伤害过别人。

由于尚未成年，三观尚未固化，自然不懂什么叫作责任，便肆无忌惮。

说出口的话从未再三思量，只当别人开不起玩笑，不觉得自己伤人。

以貌取人，故意孤立，贴上标签，只当是好玩的事。

真相如何压根就不重要，故事好听才人人喜欢。

偏偏编造故事的人，仿佛身临其境，明明自己什么都不知道，什么都不了解，却能把故事说得绘声绘色。

或许这也不仅是校园的问题。

不过我要说的，依然是发生在学生时代的一件事。

二

曾经有同学被孤立过，原因很扯淡，仅仅是因为她是班里最胖的女生。

她性格内向，面对被孤立的情况，选择忍气吞声，却换来变本加厉。

从此以后她做什么都会换来嘲笑。

有一次上课的时候，她被语文老师点名，让她读一段课文，不知怎的，她涨红了脸支支吾吾说不出一句话。老师那天也“啧”了一声，嫌弃地让她站着，直到课上到一半才让她坐下。

好事的男生下课就开始议论这件事，说话声音很大，语气里都是嫌弃。

再后来，她的同桌嫌弃她，要求换位置，她就被换到了第一排的角落里。

我至今都无法理解，为什么老师连她的意见都不征求一下，就把她安排到角落里的位置。

她没有说什么，一个人默默地坐到了角落里。

再也没有人会主动跟她说话。

她的成绩也从此一落千丈。

我并没有多正义，只不过因为小时候不太能说话，看着她如今的情况，有些同病相怜。

只是我太懦弱，太胆小，从不敢替她打抱不平，甚至不敢跟她堂堂正正说上一两句话，只能每次发讲义和参考题的时候，给她标注一下知识点的范围，偶尔说一句“加油”。

后来分班，她转去文科班。

几个星期后，早上上学时在校门口遇到她，我跟她打了个招呼就想回教室。

她却从后面跑过来，送给我一本书。

这本书是《小王子》。

扉页上是她的笔迹，写着：谢谢你。

我留着这本书，却跟她渐行渐远。

后来我去了墨尔本，跟许多人失去联系，自然也包括她，不知道她去了哪里。

仔细回想，我们之间说过的话，或许不超过五句。时间把记忆变得模糊，她映在我脑海里的，只剩下角落里的背影，和那天她递给我《小王子》时的眼神。

只是每次看到那句“谢谢你”的时候，我都暗自责怪那时的自己。

其实我可以做得更多。

但我没有。

三

初到墨尔本时，因为人生地不熟，有一次我在城市里迷了路。

手机不知道什么时候没电关了机，摸摸口袋，偏偏只剩下几块钱。好不容易摸索到了车站，却不知道应该怎么坐车回家。

一个大叔看出了我的窘迫，问我怎么了。

我用当时还不太流利的英文解释，我迷路了。

好在我还模模糊糊记得我家的地址，大叔认真地跟我讲解，要先坐哪一路公交车，然后到哪里应该换车，然后坐到哪里下车。

我脑袋乱成一团，机械式地重复大叔说的路线。

他问："记住了吗？"

我心虚地点点头。

他看了看我，说："我送你到换乘车站吧，到了那里就很简单了，换了车坐四站就行。"

我连忙摆手说："不用，我自己回得去。"

他笑着说："没事。"

说完又怕我有顾虑，说出自己的名字和职业，表示自己不是坏人。我慌忙解释，说只是太麻烦他了。

他说没事，他也顺路到那个车站。

我信以为真，就没再坚持。

在路上，他一直跟我讲墨尔本的特色，给我推荐好玩的地方。

下车时他递给我一张纸，是他画的路线图，怕我再迷路。

后来他陪我等到车，跟我挥手告别。

上车后我发现他匆忙地跑到路对面，坐上了回市区的车。那一刻我恍然大悟，他根本就不顺路。

后来我再也没有见过这个陌生人，才想起来因为急着回家，我都没有向他好好道谢。

人来人往，我们跟很多陌生人擦肩而过。

我不知道他们要到哪里去，我想我们可能这辈子也没有再见面的机会。可擦肩而过的时候，都会发生很多故事，或许我们在不经意间就忘了，或许我们也不会时常想起，但每次想起这些故事时，我都会觉得这个世界，其实没有那么糟糕。

四

你不知道在什么时候，你也曾成为别人的力量。

就像天上的星星，它们不知道你在哪里，可它们就在那里，你抬头就能看见。

后来我开始写书，执意要记录生活中那些重要的事，但天赋有限，常常写得不满意，半夜想要撞墙的那种不满意。好在有朋友支持，再后来有了第一批读者，才让我一直坚持到了每一个明天。

那时的我从没想过，有一天我的书可以到很遥远的地方。

二〇一六年，锡林浩特这座小城邀请我去做签售。

当我第一次听到这座城市的名字时，我压根不知道它到底在哪里。那时的出版社编辑（同时也是我行程的助理）说："思浩，你的行程是先到通辽，然后去锡林浩特，最后回北京……不过我不太建议你去锡林浩特。”

我问：“怎么了？”

她说：“通辽到锡林浩特你只能坐车过去，路程是七个小时……加上行程比较赶，到锡林浩特你就要去学校，第二天还有两场活动，然后你就得连夜飞回北京。我觉得……太奔波了。”

我想了想，奔波也没什么，还是去一下吧。

因为我不知道，错过了这次机会，下次去是什么时候。

第二天她告诉我，晚上活动开始前，还要去一趟初中。

我内心有些惶恐，唯恐自己说错了什么，或者有什么做得不够好，白白浪费孩子们的一节课。

万幸活动还算顺利，我分享了很多我学生时代的故事。

从下面的笑声中，我暗自想，我应该做得不错吧？至少他们没觉得我是个无聊的怪叔叔。

走之前教导主任拉住我，告诉我他有个学生边哭边说，原本以为没有机会见到我，却在这么一座没有什么人知道的城市遇见了。

我认真鞠躬，却不知道该说什么。

他说：“你能给他们带来希望，这或许是我们这些老师都很难做到的事。”

他说着说着眼眶就红了。

（在修订这篇文章的时候，我已经去了好几次锡林浩特，也跟那里的老师熟络起来。

锡林浩特真的是个很美的地方，推荐大家有时间可以去一下。

那里有一望无际的草原和好客的人们。）

听了教导主任的话，我内心只有惶恐，但同时也觉得庆幸。

惶恐我做得还不够好，庆幸我也可以给别人一些力量了。

我坚信，这个看起来不太美好的世界里，还有很多美好的人在努力着。

不远万里也要去见你，因为我们是彼此的力量。

五

回到我开头写的那段话。

很多时候我在网络上看到一些新闻，看到一些留言，都会觉得特别难过，有时甚至会觉得这个世界不会再好了。因为冷漠替代了善意，嘲讽多过鼓励，编造大过真实，努力却往往得不到应有的回报。

只是有时又能看到另一些消息，在那冷漠的黑夜里，有一些善意的星星发着光，让我觉得其实我们都该善良些。

我小时候我妈常跟我说，做人不能太善良，人善被人欺。我无法反驳她，甚至不得不承认，我妈是对的。

因为有些人不在乎你背后的故事，有些人踩着你的头往上爬。如果你刚好步入职场，那这应该是最孤独的日子。

这是你真正意义上的孤独，你被迫扔掉你的所有学生气，你的老朋友离你太远，你的新朋友又走不进你的内心。最开始你穿上工作服的时候甚至有点想笑，你在想，怎么不经意间你也有了大人模样。可事实是就算你换上了西装，也不代表你适应了成人社会。

你的心思摆在脸上，你读不懂别人的潜台词，于是你遍体鳞伤。

太难过，太多挫折压在你头上，你没法跟亲人诉说，你觉得那是增加他们的负担，而这是你最不希望做的事情。所以，所有事情你都默默扛着，这是你最难熬的时间段，你会发现你之前所有赖以生存的技能都是半吊子水平，连小聪明都算不上。

有时你想，这个世界为什么这么不公平？冷漠毫无成本，显得善良多么脆弱。

但总有那么一些时刻，你得去做一些事情，不是为了什么回报，而是为了扉页上的那句“谢谢你”，为了心安。

因为你回想起一些时刻时，你会发现别人在不经意间给了你一些力量，而你也在不经意间给了别人一些力量，那么就把这些时刻记下来，延续下去。一个故事会变成两个故事，两个故事会变成更多故事，哪怕最后故事之间毫无关联，也无所谓。

这个世界从来就是美好和丑恶共存的，有些人你无法沟通无法理解，有些事让你恶心得想吐。但有些人让你觉得温暖有力量，有些事就是能让你简简单单地笑出声来。

那么我想，我要永远站在美好的这一边，因为我就是这样的人。就算这世上再多不公平，就算丑恶的那一边看起来很轻松。

我也绝不跨过去。

我一直相信，你是个什么样的人，你就会遇到什么样的人。

我选择相信这世界上美好的存在——五月吹来的微风，盛夏飘过的小雨，深夜耳机的音乐，午后慵懒的阳光。希望你也是。

或许我们注定成不了星星，可我们能成为萤火虫。照亮前方的一点点路就可以了。我不需要知道未来的全部，那样没意思。

照亮身边的人就可以了，我只想给你一点点动力，剩下的路可能依旧布满荆棘，没关系，我们一起走就好了。

因为有些人在不经意间成为你的力量。

那也请你相信，在某些时刻，你也曾成为别人的力量。

不要让他们失望，最重要的是，不要让自己失望。

Part 4
最长的电影

在一起，意味着我从今以后的人生，
愿意分你一半。
这句话，不只是陪伴，还包含着
信任。

大龄女青年的少女心

那个一直要强的小女孩，终于卸下了防备，脱掉身上的刺，满心欢喜，却等不到想要的结果。

♪ 周杰伦《爱在西元前》

一

有一天，我一直工作到早上。

这时手机突然响了起来，蒋莹分享了一张照片，照片里是她的电脑，电脑桌面上是她做到一半的 PPT。

蒋莹是我的一众小伙伴里，少有的生物钟可以跟我保持高度一致的人。

这很难，因为……我的生物钟早已入化境：那就是，我完全没有生物钟。

比如早上六点可能刚忙完，这时候反倒喝起了一杯咖啡；上午九点可能睡醒了，可能还没睡，也可能已经有各种工作信息要回；中午十二点，可能吃饭了，也可能没吃饭，或者干脆喝一杯红牛提提神，说不定还要忙一个下午。

当然，也可能一整个白天就睡过去了……

久而久之，我练就了一项技能，如果遇到需要经常在各个城市间奔波的情况（比如签售），无论是坐高铁还是飞机，只要能坐下超过半小时，我一定能睡着。

有一次赶巧，我们俩正好要去同一个城市，就都订了早上六点的早班机票。

我挣扎了很久，才决定不穿着睡衣去机场，而蒋莹却穿着八厘米的高跟鞋，化着精致的妆出现在机场，她口红的颜色尤其耀眼，显得我整个人十分暗淡。

哪知道飞机刚飞稳，她就立马走进了洗手间，把妆给卸了。

我表示非常不理解，问："蒋莹，你为什么一大早要化妆？你这样做意义何在？"

她不屑地看着我，说："我怎么可能顶着黑眼圈和暗黄的皮肤出门呢？老娘就算半夜出门倒个垃圾，也是要先化个妆的。"

…………

说完她就换上了自带的拖鞋，戴上耳机和眼罩，表示自己要睡了。

我也困，没多久就也睡着了，直到飞机快落地的时候我才醒过来。

我往左边一看，赫然发现蒋莹已经换回了高跟鞋，抹好了口红，化好了妆，头发一丝不乱。

我想起我每次睡醒之后乱糟糟的头发，不由得陷入沉思。

这到底是怎么做到的！

当然我也不是没有见过蒋莹素颜的时候。

我们住同一个小区。

有天深夜，她突然给我发来信息："我家停电了，你们家停电没？"

我回："没有啊。"

刚回完就听到了敲门声，还没等我回过神来，她已经拿着电脑冲进了客厅旁的厕所里。

过了一会儿，我听到厕所里传来了一句呐喊："你家 Wi-Fi 密码是啥？"

两个小时后蒋莹才走出厕所，披头散发，睡眼惺忪，打着哈欠说："你家无线网信号也太差了，我查资料就查了半个小时。"

我翻了个白眼，说："谁让你在厕所查的？你不能到客厅吗？"

她抱紧自己，说："想不到你是个色狼。"

我头顶冒出三个问号，说：“你说这话时能不能先照个镜子??”

蒋莹大惊：“妈的，刚才出门太急忘了化妆了。”

二

蒋莹最让我佩服的，是她对时间的压榨能力。

一个恨不得不睡觉的人，居然能挤出时间网购；一个恨不得天天加班的人，居然能每天抽出一个多小时去健身；一个一年到头永远在开电话会议的人，居然抽出固定的几天去各个国家旅行。仿佛对蒋莹来说，一天不是二十四小时，而是四十八小时似的。

每个朋友都很诧异，问她到底哪儿来的这么多精力。

她说：“努力工作才有能力好好去玩，世上有趣的事情那么多，我们要对世界永远充满好奇，更何况我的工作本来就很有趣呀。”

说实在的，跟她相处真的觉得压力很大，因为她总让我们每个人都觉得自己不够努力。

但大家都爱她。

因为她的性格实在是太好了，就跟她的皮肤一样好。

有一次一个朋友来北京玩，问我家里能不能借宿。

那时我得第二天才能回北京，任婧、老唐、王辉也刚好没一个在家的。我顿时觉得举目无亲，突然想起同在一个小区的蒋莹，于是我只好拜托她帮忙安顿下我朋友。

我特地说："蒋莹，你只要负责把我朋友接进家门就可以了。"

她说："放心，交给我吧。"

第二天我到家，朋友把蒋莹夸了一遍又一遍。

他说，蒋莹把他接到家之后，特地带着他出门转了转，带他熟悉周边环境，又陪他去了商场，买了换洗的床上三件套，把空房间收拾了一下，简直无微不至。

我朋友感动得快哭了。

我打电话给蒋莹道谢。

我说："蒋莹，你太客气了，其实你不用……"

她打断我："不用什么不用，你的朋友就是我的朋友，理应的。"

我过意不去，还在道谢，说改天来我家吃饭，我下厨。

她打断了我。

她说："对了，我帮你把客厅也收拾了一下，满地猫毛怎么见人？"

我说："我在家的话每天都会整理的。"

她没理会我："你说你的读者要是知道你家这么乱，他们会嫌弃死你的吧，我要不要去你的微博评论一下呢……"

我慌忙说："不不不，一切都是意外，一切都是幻觉，你昨天看到的都不是真的……"

她哈哈大笑，说：“不说了，我还有事要忙，先挂了。”

后来我才知道，那天她安顿好我朋友，转头又回家加班了。而我给她打电话的时候，她在赶去开会的路上。

三

这么好的一个人，个人感情问题却一直没解决。

一方面因为她真的很忙，另一方面因为她实在是从方方面面拒绝了所有人的靠近。

她自己也说：“太麻烦了，谈恋爱太麻烦了。要彼此试探，要慢慢靠近，要放低自我，我又是自尊心极其强的人，深夜里的一句‘你在干吗’就是我说过的最具暗示性的表白了。”

因为工作，她平日里也能接触到很多人，我听说她是这么拒绝一个人搭讪的。

会议结束，有人过来搭讪，对蒋莹说：“你很好看。”她说：“谢谢。”

他说：“能留一个微信吗？”蒋莹装作没听清：“啊？”

男生又说了一次：“能留一个微信吗？”她依旧装作没听清：“啊？”

男生张大嘴，一字一顿地说："能留一个微信吗？"她冷漠地说："这样啊。"

"不能。"惜字如金。

其实那人也不是完全意义上的陌生人。

几个人一起开过几次会，是合作伙伴，彼此也算是打过好几次照面了。

可她依然冷漠地拒绝了。

所以很多跟她不熟的人，对她单身的解释都是两个字：高冷。只有我们这几个跟她相处还算久的朋友，才知道她完全不是这样。

你能想象到这样一个姑娘，有一天在家突然背起了《一人我饮酒醉》的歌词吗？

如果你不知道这首歌是什么，那这样说好了，蒋莹是这么一个姑娘：如果唱歌时她不熟悉的人超过三个，她会坚决拒绝唱歌。实在拒绝不了了，就唱一首孙燕姿的情歌，饱含深情，技惊四座。

但如果唱歌的时候只有我们在，她的歌单是这样的：《最炫民族风》《嘻唰唰》《小苹果》（基本上都是洗脑神曲……）

这都不算什么，有一次她点了一首《江南 style》，居然从头到尾一字不错地唱完了。

这是一首韩文歌，她又对韩语一窍不通，要唱成这样，得是一个人默默听了多少遍？

最关键的是，她总是唱着唱着毫无预兆地开始尬舞，以此活跃气氛。

她说：“好不容易好朋友聚在一起，当然要开心啦，那我就以身作则吧。”

我有时在想，高冷的蒋莹和幼稚的蒋莹到底哪一个是真的。直到有一天她给了我一个解答：两个都是真的。

“如果你能看到我幼稚的一面，说明我把你当真朋友啊。”

我瞬间被说服了，觉得她说得很有道理！

接着她说：“就好像我能看到你家客厅很乱一样啊，你说要是你的读者知道……”

我大惊：“这不是事实！”

又想起了什么，正色说：“不许去我的微博评论！”

四

对恋爱，蒋莹有这样一个理论：

她说：“你听周杰伦的歌吧？”我点点头。

她说：“你听过《龙卷风》吧？”我点点头。

她说："你知道为什么周杰伦把爱情形容成龙卷风吗？"我思考片刻，问："为啥？"

她说："因为龙卷风大家都听说过，但没几个人见过。"

我忍不住问："蒋莹，你这个理论，是什么时候琢磨出来的？"

蒋莹没有回答。

后来有一次，我们陪她看完一场午夜电影，刚想和她讨论电影剧情，却发现她在哭。

我愣在原地，压根没想到她看完一部爱情电影会哭。

要知道这是看爱情电影从来 get（理解）不到点的蒋莹啊，还记得有一次任婧看完《那些年，我们一起追的女孩》时满脸是泪，蒋莹一脸莫名其妙的表情，问："这有什么好哭的？"

任婧说："你不觉得男女主角很可惜吗？"

蒋莹说："有什么好可惜的，这不都是他们自己作的吗？"

我们无言以对。

我甚至从来没有见她哭过。

哪怕被房东赶出家门，她也没有哭过。

哪怕是生着病做完的计划书被批得一文不值，她也没流过一滴眼泪。

我试探性地问："怎么了？"

她说：“你知道我为什么这么爱工作吗？因为工作不会背叛我。”

说着说着，蒋莹的眼泪唰唰唰地往下掉，我不知所措，只好手忙脚乱地满世界找纸巾，可手里能称得上纸的只有电影票。

我想了想，默默地把电影票递了过去，说：“我没有带纸巾，你将就一下……”

蒋莹破涕为笑，说：“这种时候你不知道把肩膀靠过来吗？”

我恍然大悟，认真点头表示又学到了一个技能，蒋莹却自己用袖子擦干了眼泪。

她第一次说起自己的故事。

说其实自己见过那么一次龙卷风。

五

蒋莹的人生设定，原本是一个白富美，白是天生的，重点在富，所以就美。

小时候别人没有的，她全都有。别人家还只能看黑白电视的时候，她家已经有了彩电。别人还不知道电脑是什么的时候，她已经有了一台电脑，虽然只是 Windows98 的系统。

可突如其来的一场变故，让她永远失去了自己的父亲。

母亲又接连做了几次糟糕的商业选择，她的家境自此一落千丈。

即便是还幼小的她，也能感受到世界的天翻地覆。很快，生活留给她的只有永无止境的搬家。很多时候，她还没来得及熟悉一个地方，就得搬去下一个地方。

从一个高档小区搬到一个普通的小区，又搬到一栋破旧的小楼。

到后来，她只能寄人篱下，住在姑妈的家里。

感谢老天给了她一个好姑妈和一个好脑子。

姑妈对她不错，而相对较好的成绩，也的的确确让她摆脱了一些烦恼。过年的时候，她多多少少还能因为成绩这件事情稍稍抬起头来。

大学她报了金融专业，毕业后去了上海，就这么遇到了自己的初恋。初恋比她大几岁，用她的话来说，她压根接受不了比自己小的男生，聊不了几句话就能感觉到对方的幼稚。

她原本以为，找到了一个靠谱的人，找到了一个细心体贴懂得照顾她的人。

恋爱谈了几年，两人开始谈婚论嫁。

有一天，有个女生加她微信，备注写着她男友的名字，她就直接通过了。

女孩第一句话就是："我跟文科在一起半年多了。"

她大脑瞬间一片空白，头皮发麻，只觉得自己的心跳加速到每秒一百八十下，完全无法呼吸。

她无法相信。

她跟他在一起时，天天发短信，从睁眼到闭眼，一天通好几个电话，从起床到睡着。最重要的是，他父母已经完全认同她了，也在计划着结婚的事情，就等两人拍板了。

这样的一个人，怎么可能出轨？

不可能的，不可能的，她对自己说。

可紧接着那个女生就给她描述了很多细节，通通是外人没法得知的细节。

蒋莹颤抖着说："不可能，我跟他在一起三年了。"

那姑娘趾高气扬，说："我也跟他在一起半年多了，不信你去他公司问他同事啊。"

蒋莹说："我们准备结婚了。"

她说："哟，准备结婚又不是结婚了。怎么着，那按照古时候的规矩，我是不是要叫你一声姐姐？"

蒋莹没有给文科发信息，一个人住到了酒店，一直忍着。她不敢确认，害怕打电话过去质问，却发现这一切都是事实。

一个人到底有多爱另一个人，才愿意为了他自欺欺人呢？

第三天，男友才给她发信息，问她去哪里了。她说："我都消失快三天了，你才找我？"

他没正面回答，说："我想了想，我还是不想结婚，如果你接受不了，我们就分手吧。"

她只是说了声"好"。

之后一个星期，蒋莹没怎么吃饭，生生瘦了十斤。她也睡不着觉，每天努力去睡两个小时也都是迷迷糊糊的，一滴眼泪都没有流出来。

后来到底还是哭了一次。

她说自己不是因为想到这段恋爱而哭，只是突然想到自己的父亲如果还在，一定不会让她受一点委屈。

哭过之后她发誓自己再也不哭了。直到那天晚上我们看了一部电影。直到那天白天她听到他结婚的消息。

我听完故事，说："他不值得你难过。"

她沉默了一会儿，说："我是替当年那个小女孩难过。"

因为那个一直要强的小女孩，终于卸下了防备，脱掉身上的刺，满心欢喜，却等不到想要的结果。

这时蒋莹顿了顿，深吸一口气，说：“从此我想通了一件事。”

我问是什么事。

她说：“我以前一直觉得我是不能原谅他，后来才明白我是不能原谅自己。你看我聪明，长得又好看，要情商有情商，要智商有智商，我不能原谅自己居然也曾经那么傻过一次。我想通的是我永远不能让自己陷入糟糕的境地，永远不能狼狈，所以每件事情都要做到最好。”

我突然明白了，那天去机场她为什么要化妆。不是给别人看的，是给自己看的。

她不允许自己糟糕，即便别人发现不了什么区别。

她平复了会儿心情，然后说：“老娘哭的事情你要是让别人知道你就完蛋了！”

六

有的人是这样的，不用做什么惊天动地的事，不用说什么凄凄惨惨的话，你就忍不住心疼。

你也知道她是真的很坚强，并不是在逞强。

可看到她弱小的肩膀，你还是想要过去扶她一把，至少告诉她：“没事，你的好朋友还在。”

回到家，想到她的事情，我怎么也睡不着，给她发了条信息。信息是这么写的：

“你这个人，从一开始就太理性。你把自己层层包裹起来拒人于千里之外，哪怕付出也是适可而止。为了避免所有的结束，你避免了所有的开始。但是我还是希望有个人，有那么一个人可以看穿你怕受伤的心，坚定地站在你身边。你知道，听歌时发现没谁可想，空空落落的，也不是件好事。”

她回了我三个字，言简意赅：“希望吧。”

我说：“会有的。”

她说：“希望啦，那个人肯定得让我觉得聪明对吧，然后我们还得有钱对吧。我还希望呢，我们可以保持独立，最后呢，希望他有点少年感。”

我觉得自己听错了，重复了一遍：“少年感？”

她一本正经地说：“因为要配我的少女心啊。”

我大惊，说：“少女心？蒋莹，你确定你说的是：少——女——心？”

她说：“怎么了？老娘还不能有点少女心吗？我只不过是很难去相信一段爱情而已，我跟你说，万一我真的再鼓起勇气去相信的时候，我一定要跟我那时候的男朋友做一件事情。”

我露出了暧昧的笑容，说：“哦？莫非是嘿嘿嘿的事情？”

她说：“跟朋友们一起玩捉迷藏，找到了可以亲一下的那种，到时候我一定会故意被找到！你想啊，当你躲在门后等待着一个人找到你，当你真的被你期待的人找到了，该是多么开心的事情啊。”

我瞬间明白了。

蒋莹就是一个躲起来的人。

很多人都是躲起来的人。

他们身上的每一寸坚硬都是曾经留下的疤，但也不想再碰，所以再也不把这伤疤暴露在任何人面前。他们越是这样，越是让人难以靠近；可他们越是这样，真正了解他们的人就越难受。

有时候你希望他们能遇到这样的一个人，一个可以看穿他们所有伪装和逞强依然坚定地站在他们身边的人。

那些固执的潇洒，不过是最后的体面。

就好像他以为你很酷，其实你只是不想在他面前哭。

我多么希望蒋莹可以遇到这样一个人。

她可以不用假装不用逞强，就算对着所有人都要一副大人模样，在他身边她可以完全像个孩子，天真烂漫，肆无忌惮。

只是让她敞开心扉，需要很多的时间。

我想，她值得。

因为她明明知晓很多道理看过很多事情，却依然对这个世界保持好奇。

因为她明明见过很多世面也看过山川大海，却会对朋友送的小礼物发自内心地欣喜。

因为她对待朋友是那么真诚，只要她认定你是她的朋友，她就会坚定地站在你身边帮助你。

好了，写完这篇故事是在凌晨，我在上海，她正在去肯尼亚看动物大迁徙的途中。

我到底还是把她哭的事情写了下来，如果书出版之后有段时间我没有发微博，那么我想我一定是被她打死了。

…………

如果我的评论里多了一条留言，说我不怎么爱收拾家，那这条评论一定是假的。

给你十二只柯基

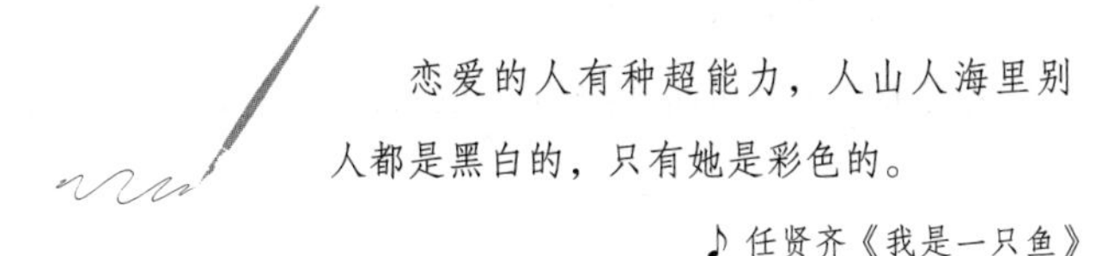

恋爱的人有种超能力，人山人海里别人都是黑白的，只有她是彩色的。

♪ 任贤齐《我是一只鱼》

一

老唐和任婧是我见过的智商最低的情侣。

那时我家有个家庭影院，有天我们几个窝在沙发上一起看电影。

电影是关于三国的，任婧突然冒出一句：“厉害的人，果然是扎堆出现的呢。”

我回：“那当然，你看，曹操啊，袁绍啊，袁术啊，许攸他们都是发小，一起长大的。”

任婧恍然大悟般点头，说：“对啊，你看项羽和刘备也是。”

…………

我还能说什么，只好告诉她那人叫关羽。

又有一天，我们还是看电影，任婧突然问："陈可辛是谁？"

我刚想告诉她，老唐一本正经来一句："陈可辛是谁你都不知道？香港黑帮片教父啊！"

他说话时语气里是掩饰不住的自豪，任婧认真点头，眼神里写着崇拜。

…………

我还能说什么，只能告诉他那人叫杜琪峰。

又有那么一天，阿辉放了一首光良的《第一次》。

任婧说："光良之前是不是有个什么组合？"

我说："对啊，叫无印良品。"

她认真思考了一会儿，说："那无印良品肯定是他们开的咯？"

…………

我还能说什么，只能告诉她那只是同名。

有时他们也会秀恩爱。

有一天老唐说，每次都可以在人群中一眼看到任婧。

我放下筷子，问："为什么？"

老唐说："恋爱的人有种超能力，人山人海里别人都是黑白的，只有她是彩色的。"

我内心毫无波动，咽下一块鸡肉说："单身的人也有一种超能力。"

他好奇地问："是什么？"

我说："秀恩爱的话我通通都听不到，所以你刚才说什么？"

他们自讨没趣，我哈哈大笑说："在我面前秀恩爱，也不看看我是谁。"

说完突然觉得哪里不对，对着鸡肉陷入了沉思。

二

我跟老唐很久以前就认识，出国前他知道我要去墨尔本，特地找我了解出国流程。

可惜等他来墨尔本时，我已经去了堪培拉。等到假期回墨尔本玩，我专程去他学校找他。

那时我还带着没做完的作业，正好需要电脑，他就带着我去电脑室。

刚打开门他突然一个激灵，往后退了一步，赶紧跟我说换一个电脑室。

我疑惑地问："怎么了？"

他悄悄指了指坐在最后边的一个姑娘，小声说："我喜欢的姑娘在那里。”

我用正常的声音说：“这样啊，是她啊。”

他赶紧捂住我的嘴，把我拉出电脑室。我说：“喜欢就去告诉她啊！”

他认真地说：“现在还不到时候。”

我问：“那要等到什么时候？”

他说：“等我再优秀点。”

我没想到现实生活中还能有人回答得这么文艺，瞬间沉默。

他接着说：“我们现在在异国他乡，毕业后可能会各奔东西。我想努力变得优秀到不管去哪里，都可以带她去的程度。”

天知道他说这句话的时候，我居然能从他的眼神里看到光。

二〇一五年我来到北京，老唐已经在北京生活了一段时间。

他找到我，一脸神秘地说：“一会儿介绍一个人给你认识。”

很快姑娘到了，她说：“你就是老卢吧？我常听老唐提起你。”

我礼貌地跟她握手，趁她不注意用眉毛给老唐发信息，无声地问：她是谁啊？

老唐用唇语说了三个字：墨——尔——本。

我瞬间反应过来，这就是三年前他喜欢的那个姑娘。

这世界匆匆忙忙，没有谁一定能等到谁，他却等到了任婧。

后来我想换一个房子，正好他俩也想换房子。

我们就租了个稍大点的房子，住到了一起。

三

有一天他们吵架，据说是因为逛街的时候，老唐盯着一个姑娘看了一会儿。

我赶紧冲到客厅劝架。

老唐说："那你把你手机里的彭于晏删掉！"

任婧说："彭于晏跟刚才路过的姑娘能一样吗？"

老唐大喊："怎么不一样了？"

任婧怒吼："彭于晏是我老公！那姑娘是你老婆吗？"

我劝："一个是偶像，一个是路人，你们争什么呢……"

老唐和任婧同时对我喊："情侣之间的事你是不会理解的！"

我脑袋冒出一个问号，好端端劝架，怎么就突然被歧视了？

于是瞬间加入吵架的行列，我对任婧说："彭于晏怎么就是你老公了？你把我们老唐当什么了？"

又对老唐说："女朋友就在身边怎么还看别的姑娘呢？你把我们任婧当什么了？"

谁能想到两人瞬间站到同一战线，异口同声："我们把彼此当爱人啊。"

我遭受双重打击，招架不住，带着内伤转过身夺门而出了。

这里没有我的容身之地！

我再也不劝架了！

遭遇内伤的时刻，还有跟他们一起逛街的时候。

你知道那种跟情侣一起逛街，他们手牵手走在你面前还蹦蹦跳跳的感觉吗？

这感觉就像是其他人的手机信号都满格，只有你的手机没信号。

那一天我们一起走在街上，老唐牵着任婧的手，走着走着，任婧说：“好冷啊。”

说完她就把手塞进了老唐的口袋里。

又过了一会儿，任婧说：“这么走好累啊。”

说完她“噔噔噔”又跑到老唐的另一边，握住老唐的左手塞进口袋里。

四

我听任婧笑着说过一个故事。

有一天，两个人正准备赶地铁回家，走在路上却突降大雨。他们都没有备伞，路边躲雨的屋檐又抵挡不住这大雨，两个人一合计，最好的办法还是冲到地铁站。

地铁站离他们还有一条街，老唐二话不说就抱着任婧冲了一条街。

听到这里我表示质疑，因为老唐太瘦弱了，让他一个人跑完一条街可能都是个问题。

任婧却一脸幸福地说："那一定是因为我吧，他才有那么大的力气。"

后来老唐不知怎的听到了这个故事。

本以为他会说"你就是我的力量"之类的文艺的话，却没想到他对任婧说："因为你腿短啊。"

任婧拍案而起，说："腿短怎么了？腿短多可爱啊！你看柯基多可爱！"

任婧最爱的动物就是柯基，每次在路上看到柯基就走不动道，手机屏保也是柯基，只是苦于没有时间照看狗，一直没有养柯基。

那时我看着他们甜蜜拌嘴的模样，又想起最开始老唐跟我说他喜欢上她的样子。

我想他们一定会幸福下去，却没想到他们差点分手。

分手的原因是任婧想要结婚，老唐却不想那么早结婚。

任婧本来很生气，最后还是冷静下来，心平气和地跟老唐讨论这个话题。

任婧表示两人恋爱这么久了也该结婚了，老唐觉得结婚不过一个仪式，摆几桌酒席，请一堆不熟的亲戚，没有什么意义。

说着说着，任婧突然站起身来，摔门走了。老唐追了出去，却没有找到她。

后来我们才知道，任婧假装坐电梯下了楼，其实藏在安全通道的楼梯里，默默地哭。

晚上任婧回来，老唐因为太着急口不择言，开口竟是责备的语气："怎么现在才回来？"

任婧说："我想出去走一走。"

老唐问："去哪儿？"

任婧说："正好家里有点事，想回家待几天。"

老唐点头，说："好。"

然后又说："我等你回来。"

五

回家那几天，她也还在群里跟我们保持联系，示意我们别担心。

又过了几天，老唐抽了根烟，跟我说了一些话。

他说："我想通了，我害怕结婚，其实更怕的是那些压力。婚姻是两个家庭的对接，我怕我做得不够好让她受委屈。现在我明白了，当你喜欢一个人的时候，你会希望你们的余生越快开始越好。因为害怕未来给不了她想要的，就拒绝现在给她想要的东西，我真的太傻了。"

我拍拍他的肩膀，认真地说："你智商一向很低，难道你不知道吗？"

他说："你帮我筹备下，但你别告诉任婧。"

我点头说好。

晚上任婧又跟我远程聊起天来。

她说："我想通了，老卢，我不应该给他那么多压力。我想结婚是想要一个仪式，不是说想要让全世界知道我们结婚了，我就是想有那么一个日子，在那一天我是最漂亮的新娘。我现在明白了，跟他在一起就好了，每一天我都是漂亮的。"

我不动声色地问："那你什么时候回来？"

她说："下周一我就回去了。"

这两个人，就算吵着架，也还在为对方考虑。

回来后两人很快和好，又恩爱如初，默契地不再提结婚的事。

一切计划都秘密进行，可怜我和王辉，还要给老唐打掩护。

二〇一六年六月，任婧生日。

老唐约任婧吃饭，吃到一半接了一个电话说了句“有急事”，就匆匆忙忙离开了餐厅，把任婧一个人留在餐厅里哭笑不得，不知所措。

我和王辉算好时间从她身后出现，她又惊又喜，问我们：“你们怎么也在这里？”

我笑着说：“给你一个生日惊喜。”

她嘟着嘴说：“老唐也不知道去哪里了。”

我和王辉对视一眼，同时对任婧做出一个“请”的手势，示意她到外头看一看。

她疑惑地看着我们，将信将疑地往外走。

走到一半突然出现了十二只柯基，是的，十二只，我身边所有养柯基的朋友都被老唐骚扰了一遍。

任婧看到十二只柯基，刹那间眼泪两行。

不仅是因为十二只柯基站成一排这场面太有冲击力，还因为每只柯基身上都绑着气球。

气球上写着：“我爱你，你可以嫁给我吗？”

虽然任婧一直天然呆，但她也瞬间懂了老唐的心意。

这时不远处传来了老唐的歌声。

“需要你，我是一只鱼，水里的空气，是你小心眼和坏脾气。”

我突然想到，剧本不是这么写的啊，我推荐的歌明明是《私奔到月球》。

你看《私奔到月球》的歌词：“其实你是个心狠又手辣的小偷，我的心我的呼吸和名字都偷走。”是不是比“小心眼和坏脾气”好上那么一点?

谁求婚的时候还说“小心眼”这种词啊！想到这里我不禁为老唐捏一把汗，还好我们听到了后面一句：“没有你，像离开水的鱼，快要活不下去，嫁给我吧！”

不过任婧应该不会有我这样的心理活动，因为她早就循着歌声的方向跑了过去。

老唐的声音紧张到发抖，这首歌从一开始就唱得不成调，最后的“嫁给我吧”生生变成了嘶吼。

任婧也早就哭成泪人，跑到老唐面前还没顺过气，想说一句“好的”却只能发出哭声。

老唐也哭了，说：“你一直觉得自己不漂亮，但其实我一直想告诉你，你在我心目中就是最美的，美到我想让全世界都知道你就是我的媳妇。虽然我有时候很傻，脑筋也不会转弯，可你的爱好、你的情绪，我都能懂，我都记在心里，永远都不会忘。”

说完，画面定格了一秒，我们赶紧在背后说：“任婧，答应人家就点头啊！”

任婧才反应过来，用力又认真地拼命点头。

我和王辉兴奋地叫出声来，一人解下两只柯基拴在柱子上的绳索，想带着柯基跑到他们身旁。

哪儿知道我解开的这两只柯基瞬间放飞了自我，我被它们带着往反方向跑了过去……

我大喊："不对不对，掉头，掉头！老唐！你等我回来再给任婧戴戒指啊……"

同时心想，为什么柯基腿这么短，跑起来能这么疯？

很久以后，我才知道原来柯基最初是牧牛犬。

原来是这样的吗！

就在我跟柯基斗争的时候，老唐颤抖着给任婧戴好了戒指，王辉在一旁欢呼鼓掌。

…………

这群王八蛋。

六

其实老唐和任婧一点也不笨。

只是两个人在一起久了，早就看到彼此的缺点，也学会了包容，所以才那么肆无忌惮，有时说话也短路。就好像我们在喜欢的人面前，也总会犯些傻，回头想想明明那些知识自己都知道，偏偏一时忘词。那些幼稚，是只有你爱的人才能看到的孩子气。

在一起，意味着我从今以后的人生，愿意分你一半。这句话，不只是陪伴，还包含着信任。

这些年随着成长，经历了太多复杂，很难再简单地去相信。

我们看到太多分开和悄无声息的告别，也见过一些黑暗和歇斯底里的背叛。人和人之间的感情到底有多脆弱呢？一句话没有讲清楚，过几天或许就是陌生人了。

可生活里总有一些人，用自己的坚持，告诉我们这世上还有一成不变的美好。

所以每次看到好朋友最幸福的瞬间，我都会忍不住想流泪。

太难得了，每个幸福的背后，都藏着只有他们知道的，那千山万水也要相见的不容易。

我们兜兜转转，有些人还在等待，有些人遇到了彼此。

遇到一个对的人，是天时地利人和的好运气，我不知道自己有没有这样的好运气。

但我很开心，我身边的人，能拥有这样的好运气。

希望你也还能遇到让你坚定的人和事，真心都不被辜负，信任的人都值得。

就像老唐和任婧一样。

有人在黄昏等日出，
而我在等你

火车停靠站台，一个旅人下车了，这不是你的终点站，你要继续往前走的。

♪ 山崎将义“One More Time, One More Chance”[1]

一

二〇一七年的春天不知不觉到了。

公园里的花争先恐后地盛开着，风拥抱着每个行人。世界温度正好，我们对视一眼，仿佛彼此都活在暖色调的画作里。

只是我们无暇欣赏什么风景，因为我们正在激烈地战斗。

“猥琐发育，别浪！”[2]

话音刚落，我方英雄被敌方杀死。

---

1 中译名：《愿往事重来》。

2 游戏术语，游戏玩家以此互相劝勉不要冲动硬拼，要慢慢积蓄力量。

“稳住，我们能赢！”

话音刚落，我方防御塔被敌方摧毁。

我的游戏数据是 12 杀 3 死，可我方阵营居然节节败退。

我遇到的都是一群什么猪队友？

敌方最后一次攻击。

我负隅顽抗，击杀对方三人，奈何队友先我而去，我还是没能守住水晶。

就在基地被平推之前，对方发来一句嘲讽：“你们怎么只有四个人？让露娜[1]出来啊。”

我回：“出来你大爷，我们让让你。”

游戏结束，一场惨败。

蒋莹摊手，说：“真不怪我，你看我打了多少输出。”

老唐说：“也不怪我，你看我扛了多少伤害。”

任婧举手投降，说：“你们的意思是怪我这个刺客咯？”

我们三个异口同声：“废话！”

任婧委屈地说：“我们家有个英雄在泉水里一动不动，四打五怎

1 游戏中的一个人物。

么赢？”

老唐说：“是啊，阿辉，你老在泉水里不动，这把怪你。”

我收起放在一旁的手机，轻声说：“等下次有空，我们再来一把。”

没有回答。

我收起的手机不是我的，是王辉的。

这一天是二〇一七年四月四日。

清明。

二

王辉比我年长几岁。

二〇一四年，王辉准备结婚。

他来北京三年了，白天拼命工作，生生累瘦两圈，终于赚了一点钱，租了房，有了第一笔存款。他拼命工作的原因很简单，他想多赚一点钱，然后把女朋友接过来一起生活。

他也确实努力做到了，把女朋友接了过来。

有天王辉失眠，正盘算着下个月怎么多一些业绩。

身旁女友的手机亮了起来，他本来没有在意。只是信息来得实在太频繁，黑暗里晃得眼睛不舒服。于是他走了过去，准备悄悄地把手机翻个面，却意外看到了那一连串的信息。

一个陌生的号码，好几条让他心碎的信息。

他不动声色，为她找理由。

心想这么多年自己没有陪着她，她心里难免有短暂的空缺。没关系，剩下的日子，他好好陪她，好好爱她，把那空缺填满。

第二天，他单膝跪地，求婚。

女孩迟疑了一下，点头说好。

婚礼那天，有个姑娘喝得酩酊大醉。

送她回家的路上，我听到她喃喃自语："你要幸福。"

车窗映出她的脸，我心想，火车停靠站台，一个旅人下车了，这不是你的终点站，你要继续往前走的。

姑娘的名字叫小月。

第二天，她收拾行李离开了北京。

三

二〇一六年，王辉离婚，坚称是自己出轨，默默付完一年的房租，存款都留给了她，净身出户。

身边所有人都骂他，说他是浑蛋不是人。

晚上他没地方去，给我打电话。

他问："老卢，你能收留我多久？"

我说："你想住就一直住着。"

他说："你果然是我的好兄弟。"

我恶心得起一身鸡皮疙瘩，说："打住，我会算房租的，等你发达了连本带利还回来。"

电话另一头传来嫌弃的声音："啧啧啧，我就知道。"

就这样，他躲到我家，白天不见人，晚上闷头打游戏。

我想起以前有一次凌晨没睡，恰好他给我发信息，聊了几句，我问："这么辛苦值得吗？"他说："为了她都值得。"

我家还住着我们两个共同的好朋友，是一对情侣：老唐和任婧。

有时他们秀恩爱，我能怎么办，只能假装什么都没看到。

王辉悻悻地路过，留下一句："反正还是要离婚的。"

有一次我们一起看电影，是个悲伤的爱情故事，电影中男女主角最后还是分开了。

任婧哭得梨花带雨，王辉又默默地吐出一句："你看，反正到最后还是要离婚的。"

从此“反正到最后还是要离婚的”变成了他的口头禅。

四

在他来我家的第二天，我接到一个电话，是小月打来的。

她说：“出来吃饭。”

我问：“你回北京了？”

她说：“嗯。”

到了吃饭的地方，我迟疑地说：“王辉离婚了，现在躲在我家。”

小月看着我，一脸镇定地说：“我知道。”

我诧异，想问她怎么知道的，还没来得及问出口，她突然说：“王辉不会出轨的。”

我“啊”了一声，敏感地抓住重点，说：“你知道他离婚了？”

她眼神闪烁，没有正面回答，只是问我：“我能去你家看看他吗？”

小月到我家，敲开王辉的门，他正戴着耳机忘我地玩游戏。

小月没有叫他，无声地退了出来。

回到客厅，她又说了一句：“王辉不可能出轨的。”

我说："我知道。"

我见过王辉拼命工作的样子，我知道王辉给当时的女友打电话时的神情，我记得他有了第一笔存款时的欣喜，他那时说："我总算可以昂首挺胸地把她接过来了。"

如果真的有出轨对象，为什么我们从来没有见过她，为什么她一次都没有出现？

他不说，我们也一直没问。

小月问了，他不愿意回答。

于是我们默契地再也没提起这件事。

五

二〇一六年三月二十八日，王辉一反常态很早起床，走到阳台一个人默默地抽烟。

烟一根接一根地抽着，我有点看不下去，到阳台拍拍他的肩膀，说："忘了吧。"

他吐出一口烟，沉默半晌，说："忘不了。"

那一天，本该是他结婚两周年纪念日。

那天晚上，我们几个加上小月一起喝酒，王辉很快就醉倒在地毯上。

我抬不动瘫在地毯上的他，只好弄来一床被子给他盖上。

小月说："你去睡吧，我看着他就行。"

我摇头，说："小月，没事的，你让他自己躺会儿，你就快休息吧。"

她微笑着说："没事，我不累。"

困意混在酒意里一阵阵往上涌，我没再坚持。

睡了没多久，我口干舌燥，醒了过来，想着去客厅倒杯水，看到小月头靠在沙发上，牵着王辉的手，睡着了。

我会心一笑，蹑手蹑脚地想把被子也给小月盖上，却不小心吵醒了她。

她揉揉眼睛，问我几点了。

我轻声说："还早。"

她笑着说："我刚才做了一个梦。"

我说："做春梦呢？这么开心。"

她一脸神秘地说："不是哟。"

接着她笑吟吟地说："我梦到我们五个一起玩王者荣耀，我超神了，带领你们走向胜利。"

我笑出声来，说："这梦有什么开心的？"

她伸伸懒腰，说："梦里面我是靠在王辉身上的，嘿嘿嘿。"

我笑着问：“然后呢？”

她看着天花板，有点怅然若失，说：“然后我就醒了。”

我说：“这就没了？”

她说：“我梦到过很多种跟他在一起的情形，这次是最真实的。”

我笑着说：“天还黑着，继续睡吧。”说完脑海里突然浮现出一个画面：王辉翻山越岭，漂洋过海，走过河流踏过桥梁，沿途鲜花盛开，他满心欢喜。因为他要去一个地方，那个地方有一个人在等着他。因为有个人在等，所以他从不觉得累。只是到了路的尽头，他发现还要踏过一片沙漠。他依然义无反顾地向前飞奔，可等走近了一些，才发现那是海市蜃楼。回头一看，来时的路被沙子掩藏，他在风里失去了方向。

可他不知道的是，有另一个人，沿着他的足迹拼命地走，走到双脚麻木，走到大汗淋漓，不是为了去寻找一片绿洲，只是为了找到他，递给他一瓶水。

六

三个月后，老唐向任婧求婚。

他们结婚，却忙坏了我们，陪着他们挑一个又一个戒指，逛一家又一家婚纱店。

终于，任婧挑到了一件满意的婚纱，老唐看得两眼发直，小月也看得呆了。

任婧害羞地笑着，突然又想到了什么，对小月说：“你也来试试婚纱啊。”

小月推辞，说：“我又不结婚。”

任婧说：“哎哟，难道你这辈子都不结婚，跟王辉一样？”

王辉接过话茬儿：“反正到最后都是要离婚的，我才不结婚，结个屁。”

任婧白了王辉一眼，拽过小月，小月半推半就，还是试了一件婚纱。

她从试衣间出来的时候，我跟王辉同时放下了正打着游戏的手机，盯着小月挪不开眼。

小月被我们盯得蒙了，问：“是不是不好看？我早说了我不适合婚纱。”

我连忙说：“不是不是。”

又捅捅王辉，王辉反应过来，说：“美，好看！”

一个姑娘这辈子最美的时刻，大概就是穿着婚纱的时候。

任婧向我使着眼色，我回过神来，拉着王辉说：“你也来试试礼服嘛。”

王辉大惊失色，说：“我试什么，我不要。”

我说：“不行，你得试试。”

王辉问：“为什么？”

我说：“你想想，这可能是你这辈子最后一次有机会穿礼服啊，反正你也说自己不准备结婚了。”

王辉被我绕了进去，仔细分析，若有所思地点点头。

没等到他想明白，我就把他推进了试衣间。没多久，他穿着礼服走了出来，边走边挠挠头，说：“这玩意儿还是不适合我，反正到最后都是要离婚的，还穿它干啥……”

他话没说完，正对上小月的眼神。

我赶紧说了一句：“郎才女貌，拍张照吧。”

他支支吾吾，说：“拍什么拍……”

还没等他说完，小月就被任婧推到了他身旁，任婧说：“就拍一张咯，又不给别人看。”

小月羞得满脸通红。

见王辉作势要走，我赶紧拿起手机，抓拍了一张照片，却意外地抓到了最好的瞬间。

镜头里王辉站得笔直，身旁的小月甜蜜地笑着。

七

从那以后，小月和王辉的距离好像近了一些。

我家有个投影仪，每逢周末我们都聚在一起看电影，任婧和老唐依偎在一起，我居中，王辉坐在沙发最左边，小月怯生生地搬着凳子坐在最右边的位置。

本来我们一直保持着这样的座位顺序。

后来小月慢慢地坐在了王辉的身边，两个人却还是保持着不远不近的距离。

我想，还行，多少是比以前近了一些，希望时间真的是个好导师，能给他们最好的安排。

十一月，我们本来看着电影，王辉突然接到一个电话。

他沉默了很久。我正想着电话那头是谁，可以让他沉默这么久，他开口了，说："结婚了啊，祝你幸福。"

等他挂了电话，我们早已明白了个大概，面面相觑，不知道该怎么开口说第一句话。

他露出一个没事的笑容，说："她再婚了。"

我们依然保持沉默。

王辉问："家里还有酒吗？"

那天，王辉再次为同一个人喝醉。

我安顿好醉倒的王辉，又看了看小月。

小月说："我有点不舒服，先走了。"

我不知道该不该留下她，最后只好说："注意安全。"

次日清晨，王辉醒过来，问我："昨天我怎么又喝大了？"

我怒斥："你还有脸问我？你怎么还为那个人喝醉？"

他说："你理解错了，我是开心。因为我突然发现我可以平静地祝她幸福了。"

我说："你平静怎么表现得跟撕心裂肺一样？"

王辉急了，说："你们这是先入为主，昨天我哭了吗？昨天我闹了吗？昨天我没给你们唱歌吗？王八蛋，真的以为老子不记得吗？你不还鼓掌说好听吗？"

我哭笑不得，只得投降，说："小月走了。"

他问："什么时候？"

我叹口气，说："你打个电话跟她说下情况吧。"

他也跟着叹口气，说："心里的一个人走了，另一个人没那么容易再住进来，再等等吧。"

第二天王辉收拾行李。

我问："去哪儿？"

他说："借宿你家这么久，谢谢你。"

我说："谢你大爷，这么多年的朋友，说什么谢谢。"

他说："我出门走走，等我回来，我就搬家。"

我又问："走多久？"

他说："想回来的时候，我就回来。"

我说："要回来就别收拾了，钥匙你也拿着，我家反正也没别人来住，这个房间我给你留着。"

…………

我问："那小月呢？"

他说："我现在有点乱，等我想通了，我第一个告诉你。"

临走时他说："对了，替我告诉小月，好好照顾自己。"

我找到小月，一字一句地复述着王辉说的话。

小月没等我说完便说："我等。"

我说："那你这段时间怎么办？"

她说："他不在北京，我想先回趟家。"

我问："什么时候回来？"

她说："他找我的时候。"

每个人都在等着一些什么。

等一个人回头，等一个人出现，等自己释怀。等春暖花开，等灯火通明。

如果能等到自己想要的，就没有浪费时间。

我等着他们等到彼此的时候。

一个等自己释怀，一个等对方回头。

我想，时间总能让他们等到彼此的。

八

我们都在等王辉回来。

可等不到了。

王辉在一次去机场的路上，遇到车祸翻了车，再也没有醒过来。

我们以为能等来峰回路转，没想到等来的却是一记回马枪。

我听到消息的时候，正走在大街上，这一切来得太突然，即使给我发信息的是王辉的母亲，我也根本无法相信。我强装镇定走了会儿，越走越觉得有一种难以形容的难受，突然一阵喘不上气。那感觉就像是自己被卷进了黑洞，我知道身边的人在说着一些什么，可我听不到。我知道自己在自言自语，我能看到行人诧异的眼神，可我居然也听不到自己在说什么。

我不知道自己是怎么回家的，只记得我无法呼吸，脑袋里只剩下嗡嗡的声音。

接着我昏昏沉沉，无法思考，倒头就睡着了，醒来的时候我恍惚间不知道自己在哪里。

我花了很久，才搞清楚我在自己的床上。看了眼手机，天才刚黑，我不知道自己是睡了一天一夜，还是只睡了几个小时。然后我想到了什么，颤抖着打开阿姨给我们发的信息，每个字都没变。

是真的，一切都是真的。

我又怔了很久，心里怒骂老天，为什么这么不公平。

整夜都没再睡着，直到第二天阳光洒进来，我都没有回过神来。

过了很久，我站起身来，打开王辉的房间。

这里的一切我都没有动过。

我认认真真整理，清理灰尘。打开衣柜，里面堆满了衣服。我想起有一天，我们一起嫌弃他的衣柜。

小月说："我帮你收拾吧。"

王辉慌张地关上衣柜，说："我自己来，自己来。"

结果这个王八蛋还是没有整理。

我抱起所有的衣服，一件件替他整理，却发现衣服的最底层有一件叠得整整齐齐的礼服。

我从来都不知道，他偷偷买回了这件衣服。

衣服里好像夹着什么东西。

是一张照片。

照片里王辉站得笔直，身旁的小月甜蜜地笑着。

我不想成为别人喜欢的样子，我只想成为我自己

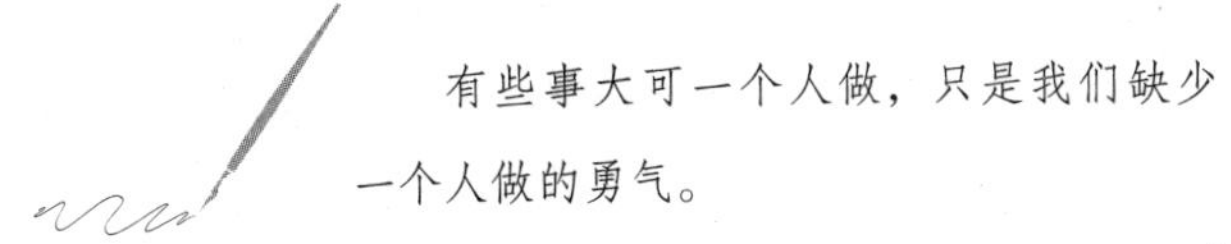

有些事大可一个人做，只是我们缺少一个人做的勇气。

♪ Hillsong Young&Free “Wake”[1]

♪ Coldplay “Up&Up”[2]

一

二〇〇九年初，我一个人到了墨尔本。

最初的新鲜感过去之后，就要第一次面临时差这个玩意儿。

那时还流行在QQ群里聊天，我们几个小伙伴建了群，怎么聊天也不觉得累，每天的信息都是几千条。有时我们谈天说地，聊着所谓的梦想，想着自己未来会变成什么样的人；有时我们分享日常，八卦大家最近的生活，分享自己喜欢的歌。

1 中译名：新颂青年 & 自由《苏醒》。

2 中译名：酷玩乐队《不断向上》。

我也常常聊得兴奋起来，加上时差，就这样开始了熬夜。

很多年过去，我们从 QQ 换到了微信，那个群早就没有人说话。

熬夜这个习惯却留了下来。

第二个养成的习惯是听歌。

很久以后我才明白，我爱听歌是因为那时我总是一个人生活。

我有几个好朋友，可都隔着一个太平洋；在墨尔本的室友，跟我专业不同总碰不到一起；我那时喜欢的姑娘，只有周末才会登录 QQ。我那时住的地方，距离学校有一个小时的车程。

于是我只能每天早起，赶四十分钟一班的车，一个人上课，一个人吃饭，再一个人回家。

或许听歌是在智能手机如此普及之前，掩盖孤独的最好办法。

还有一个习惯也跟听歌有关系，就是每当看电影时听到好听的背景音乐，我都会第一时间把那些音乐下载下来。下载之后每天半夜拿着音响，一遍遍地听，这时候我通常都会坐在电脑前，开始写东西。

一晃八年过去，这些习惯我居然一个不差都留了下来。

人总是这样不知不觉地养成很多习惯，再不知不觉就着习惯过了很多年。

二

二〇一一年，熬夜变成了通宵。

我习惯看着城市被朝阳唤醒，然后再沉沉睡去。

我想我之所以喜欢黑夜胜过白天，是因为只有在黑夜中，我才是我自己。

这一年的八月，我被房东赶出门。

我一个人拖着两个二十公斤重的箱子，在城市里游荡。我不知道自己能去哪里，可我不能停下来，因为怕停下来会开始难过。

好朋友打来电话，问我在哪里。我说，就想一个人走走。

他说："你在哪儿？我去接你。"

他知道我被房东赶出家门，他也知道我不愿意麻烦他，宁可一个人游荡，所以不由分说，一定要来接我。我也实在走不动，就坐在路边的台阶上。一左一右两个绿色箱子，比我人还高，我就靠在右边的箱子上，睡着了。

睡着之后的梦里是曾经的真实场景。

那是我跟我妈去逛街的场景，她看中了一条裙子，因为太贵没有买，却因为我即将离开家，执意要给我买一双一千多块的鞋子。

醒过来看到的是我朋友焦急的脸，他说我给他的地址离这里差了两条街，我的手机也没人接。他是沿着路找到我的。

他问："为什么不找我们借钱？"

我说："我自己被骗，我自己承担。"

朋友无可奈何地看着我，帮我把箱子搬上车。

我突然想起了什么，对他说："别让我妈知道。"

后来我妈还是知道了，打电话给我，我笑着说："没事，别担心。"

挂了电话，我止不住地哭出声来。

那是我印象里，来墨尔本之后唯一一次哭。

三

于是我开始打好几份工，因为有目标，倒也不觉得很累。

拿到第一笔钱的时候，我请朋友吃了顿大餐，花光所有的钱。我花这钱不是为了庆祝什么，而是证明我也能好好地活下来。

心里依然有一个梦没熄灭，就是写书这件事。

就这么写了好几年。

在此之前，我一直是个三分钟热度的人。

有阵子想学钢琴，学了没多久果断放弃；又发誓要学一点极限运动，想了想还是算了。也羡慕那些会画画的人，有那么一种特殊技能，可以把所有心事藏在画里。

我当然知道，那些熠熠生辉的人，背后付出了多少努力。可我总是觉得，有些事情不适合我，于是主动放弃。

留在生命里的，反而是那些没有刻意去坚持的事情。

倒是印证了村上春树的那句话："喜欢的事自然可以坚持下去，不喜欢的事怎么也坚持不了。"

因为热爱，所以坚持。

还能以年为单位来计算关系的，是我的几个好朋友。

我们曾经集体失恋，像是中了魔咒，半夜我开车带着大家集体跑去南京投奔老刘。老刘二话没说，包吃包住，买了三箱啤酒四个人喝到天亮。我们其实没有那么多时间每天聚在一起，更多时候我们都在各忙各的，可一年里总还有那么几天，能燃起剩下为数不多的热情，每个人请假都要聚在一起，也不说什么矫情的话，也不聊那些所谓的梦想，就坐在一起喝酒扯淡，再一起看日出。

原来这么仔细盘算，你会发现你拥有的比你想象的多，只是你平时都记不起。

我的人生曾经偏了航，是这些让我重回了正轨。

四

二〇一四年生日，我写完东西，收到朋友的信息。

他拍了一张以前我留下的刷牙杯。

我说："三年前的刷牙杯你还留着，你是不是暗恋我？"

想起三年前我住在他家，我顿时有点后怕。

他嗤之以鼻，说："老子是直的！"

我长出一口气。

刚想再贫嘴，他说："生日快乐。"

我回："谢谢。"

他挂了电话。

我脑海里浮现出这些年的生活。

这几年，我先是打了几份工，又总是奔波在图书馆和家之间。生活终于重回正轨，就四处旅行。因为喜欢过一个人，所以追逐全世界的日出，常常奔波，见了很多人，却也弄丢了几个好朋友。我很喜欢一个人，也被另外一个人那么喜欢过，却没有跟任何一个人在一起。

后来我还做了很多莫名其妙的事。

我开了一个小书店，一个月后就盘给了朋友。我在一个地方住了两个月，然后又扔掉所有行李，去另一个城市。午夜时分我依旧睡不着，在陌生的城市晃荡。有次我在北京，大雪天，明明很冷，我就是不想回去，在街头转了一圈又一圈。

那时我暗下决心，将来我一定要在这座城市好好地生活下来。

我也会一个人发疯一样地看电影，总是买最角落的位置，自己都不知道为什么。

追逐日出那阵子，天不亮就出发。

不爱带什么行李，只带着几本书和一副耳机。可我总是低估山顶的寒冷程度，次次都无奈地站在寒风中瑟瑟发抖。有那么一刻，我开始怀疑，似乎连来这里的原因都忘了。

然后我才清醒过来，有那么几个日出，我答应过当初喜欢的那个人，答应过，要一起来看。

虽然到头来，我一个人实现了当初两个人的愿望。

包子有一天跟我聊天，他也去了无数地方，写了无数张明信片，却不知道该寄给谁。后来他说："我以为我去那些地方能够释怀，可后来发现无论我去哪里，能看到的，都是她的影子。"

后来他问："你呢？"

他问我这句话的时候，躺在我们家的地毯上。

当我想要回答他时，传来了一阵呼声。

包子喝多就会秒睡，我心想这样也好，把他扶上沙发，给他一条毯子。

他迷迷糊糊中醒过来，继续之前的话题："你呢？"

我当时说："天上星星扑闪扑闪，地上人们念念不忘。"

五

二〇一五年，我来到北京。安顿好之后，就开始跑全国巡回签售。

有一次我去山东签售，签完第二天刚好有个空闲，就一个人去了泰山。

那天在泰山山顶，出乎意料地，周围有许多人一起等日出。人人拿着相机，我没相机，就拿出手机。可日出迟迟不来，手机渐渐没电，我轻叹一声只得又把手机放回口袋。

包里放着一盒饼干，这是我唯一准备的食粮。

而我穿着一件单裤，一件短袖加大衣，饥寒交迫。

我对自己说，要不算了吧。于是拿起包转身准备回酒店，却瞥见远方一片日晕。

天一旦亮起来，眼前的景色就总比想象中更美，无精打采的人群终于有了生气，纷纷交谈起来，身旁的姑娘默默地擦眼泪。

我才明白，这世上有太多等日出的人。

等天亮，等释怀，等安慰，等晴天，这世上几乎人人都在等。

那是我看过的最美的日出。

那一瞬间，我突然明白，不用分享给谁了。

不是说不想去分享，而是原来这样的日出不用分享，也值得看。

就像我曾经看演唱会，总觉得要跟一个人分享，后来自己去看了，发现了另一种感动。

有些事大可一个人做，只是我们缺少一个人做的勇气。

而等待也没什么难过的，如果你等的是日出，那它早晚会来；如果你等一个你也说不好什么时候会来的人或事，也没什么可怕，至少你可以边等边做自己喜欢的事。

如果你知道你等的永远也不会来，那你会学会死心的。

至于偶尔冒上心头的想念，就想念吧。

想念曾经的日子，想念曾经的人，想念曾经的日出，想念曾经躲雨的屋檐。

而你知道的，想念完你就会把自己拉回自己的生活中，接着往前走。

这些话，是我当时对自己说的。

这些话也是对你说的。

六

这一年，我没有好好地生活，因为四处奔波。

我常常忘了自己在哪个城市。

因为每天赶路，日夜打包行李，每天不远万里，难免精神恍惚。每个酒店通常只住一天，偶尔住上两天就得收拾行李，奔赴下一个城市下一家酒店。有时在火车上我会问编辑："我们是去哪一个城市来着？"他有时也得反应半天："沈阳？大连？"

后来才知道我们都错了，我们去的是哈尔滨。然后我们相视一笑，拍拍脑袋，吐槽一句："老喽。"

同学聚会也很少再去，毕竟没有选择留在自己的城市。在很多圈子也不可避免地交流越来越少，很多人也不可避免地慢慢疏远。

二〇一六年二月我搬家，有了几个室友，家里显得热闹了些。

后来我家来了一只猫，我很喜欢它，大概因为它跟我一样，总是想着自己的事，从来不吵，从来不闹，虽然我每天给它吃的，但它也不太搭理我。

只有在晚上睡觉的时候，它会突然蹦到床上，走到我的枕头边，跟我一起睡着。

村上春树的作品里常出现猫，那时我还没有养过，不知道其中的意义。现在我知道了，孤独的人，最适合跟猫相处。

它不黏人，也不任性，跟你有着默契，知道最合适的距离。

这只猫叫二筒。

七

我的房间有一本日历，是读者送给我的。日历里是我的照片和我在书里写过的几句话，现在翻到了二〇一七年六月。

六月。

蒋莹来我家时，总会吐槽我家乱，可也忍不住夸我养的绿植。

有天她来我家看电影，突然瞅到我放在茶几上的日历，说："卢思浩你也太自恋了吧，为什么你的日历都是你的照片？"

我白了她一眼，说："你懂个屁，这是我读者送的。"

她哈哈大笑，说："你的读者也太可爱了吧，送这么少女心的日历。"

我也哈哈大笑，说：“废话，我的读者都是最可爱的。”

收拾房间是个体力活，读者的礼物放满了衣柜，我只好再买一个衣架放在阳台。

墙上贴了几张电影海报，朱茵的紫霞仙子在最显眼的位置。客厅放着虎皮兰和几盆多肉。

刚来北京租的那个家，我没怎么住过，自然没有把它布置得很好。从自己租房开始，我才知道独自生活到底有多麻烦。

洗澡洗到一半家里停电，空调滴答滴答漏水，天花板的灯泡接触不良，常需要人工调整。

我在那个家里，几乎从来没有做过饭，因为频繁出差，这房子从某种意义上来说，更像一个临时过夜的地方。

只是集中性地把重要的照片贴在冰箱上，再把衣服一件件整理。除此以外，没有任何的布置。

后来，我终于正式稳定了下来，搬到了现在的家。

我想要在这个不怎么能看到阳光的城市，找到一个能好好晒太阳的屋子。

找了很久房子，终于安顿了下来。

我突然意识到，这不再是一个临时过夜的地方了。

我应该把它布置得更像家一些。

我开始注意到生活的琐碎细节，添置家具，塞满冰箱，再去花市采购一些绿植，周末邀请朋友到家里一起用投影看电影。绿植放在每个房间、客厅，还有家具的角落，猫在一旁的猫爬架上趴着，家里顿时多了一些生机。

我告诉自己，就算房子是租来的，生活始终是自己的。

我想，这么些年，我终于成长了些，学会了自己给自己归属感。

八

有时我在想，我真的有什么改变吗?

我还是熬夜，甚至有时通宵到天亮；我还是爱听歌，总在深夜单曲循环；虽然有了室友，可我的生活习惯仿佛没什么改变。

我还是习惯一个人旅行，带着一本书，四处游荡；心里虽然不再挂念谁了，可也暂时没办法轻易爱上别的人。

我依旧固执。

有时我在想，我每做一件事情就在一个小本子上记下来，成功的打钩，失败的打叉。那么到后来，一定有很多打叉的事情，然后我再把那一页撕下来销毁，这样我就能知道自己做了多少傻事，而别人永远都不会知道。可后来我又觉得，如果不是做了那些事情，我现在也不可能坐在这里写下这篇文章。

如果让我回到过去，该做的选择我还是会做，该养成的习惯我还是会养成。

那这些年，我真的没有改变吗？

不是的，多多少少，改变了些。我学会接受了。

我接受自己有时的失落，接受不讲道理的分道扬镳，接受突如其来的无力感，接受无能为力的失去，接受生离死别，接受世事无常。因为只有接受这些，我才能知道什么是重要的。

我学会自我消化了。

喜欢的东西不再非要别人认同了，难过的事情也不再非要告诉谁谁谁了，情绪自我消化，就算很难调节过来，我也不再抗拒了。

天黑归天黑，下雨就下雨，该来的情绪都不抗拒。睡眠归睡眠，清醒就清醒，该做的事情都不忘记。随遇而安，因为有了能自己站稳的底气。

我现在在北京生活。

有几个很好的室友，有几个很好的朋友。

我们都在努力生活，在这个不属于自己的城市里，竭尽全力制造些归属感。

曾经有人问过我，为什么要来这个城市生活？或者，为什么明明很辛苦，却不愿意回家？

我想了很久，终于知道怎么回答这个问题。

仔细想想，我的所有选择：去墨尔本，写书，再来到一个陌生的城市生活，都是为了更大的自由。现在想来，这所谓的自由，无非是因为我受不了做自己不喜欢的事。

无法妥协，所以拼命。

多多少少，路有不同，才明白凡事都有代价。

代价是身边的朋友逐渐变少，因为彼此生活不同，所以难以设身处地地理解，也失去了时间交流。

可你还是在这条路上坚持着，对所有代价通通接受。

你不约会不逃避也不出走，天黑天亮你只是埋头做眼前的事。

你不知道现在做的事是不是绝对正确的，可你想一个人去面对。你不知道什么时候天晴，但天会晴的，你这么想着。

不需要安慰，不需要理解，你承受住孤独的重量，因为有想去的地方。就这点坚持，没办法三分钟热度，做不到对自己敷衍。

因为我也是这样。

我们都是这样，一路丢弃一路成长的。

我们被迫放弃曾经单纯的自己、在路口痛哭的自己、在酒后失态的自己，为了更好地往前走。可也是这么一路丢弃，我们不小心丢弃了那些真正重要的东西。我们以为长大是变冷漠，我们以为热血不过是矫情，我们再也不对酒当歌，我们骗自己这叫成长。

不是的，就算你不再单纯，你也要保持童真的那一面；就算你不再流泪，你也要留住感动的那些事；就算你喝酒学会克制，你也要跟朋友聚在一起大吵大闹享受快乐。

我不想成为别人喜欢的样子，我只想成为我自己。

我的活法就是这样，常常独来独往，深夜总是睡不着，有时遇到生活的难，也会纠结许久，好在有那么几个真心朋友，互相鼓励，日子也不那么难熬。

时间带不走的有两样东西：一个是跟自己相处的能力，一个是跟我步调一致的人。

我们独立，在自己的道路上奋斗，彼此看一眼都是安全感。

就这样变老吧。

我觉得这种活法很不错。

写给自己。写给你。

Part 5
岁月如歌

还好你还在。

所以我也要继续好好生活。

不如就交给岁月

那些发生过的美好的故事，那么辉煌，那么耀眼。即使最后故事没有后续，也不要觉得遗憾。

♪ Tank《千年泪》

一

现在是二〇二二年六月。

春天不知不觉过去了，蝉鸣和夏天一起到来。

时间真是奇妙的东西，当你正在度过每一天的时候，你觉得它过得很慢；可当你突然停下脚步，看向过去，看向那仿佛还发生在昨天的故事，却会不由得感慨一句：

原来已经过去那么久了。

二

简单地说下之前故事里的人，后来都过得怎么样。

王辰再也没有见过甜七，也没有甜七的消息。我自然也没有任何关于甜七的消息。

王辰后来到底还是在南京扎下根来。

因为疫情，我也只是在二〇二一年的年末见了他一面。

他整个人消瘦了不少。我说："怎么变成现在这样？"

他说："最近焦虑得很，车贷房贷都快还不上了。"

我没说话。

他倒是半开玩笑地说了句："当初一门心思想要来南京，来了发现命运也没啥改变。"

我问："什么命运？"

他说："你还记得我是学哲学的吧？哲学里有一个理论，就是宿命论。那意思是，无论过去发生了什么，都是应该发生的；无论未来会发生什么，也都是应该发生的。你的命运在你来到这个世界上的那一刻，就已经决定了。哲学这玩意儿，有时候你觉得它说得特别对，有时候你觉得它根本就自相矛盾。"

我没听明白，问："所以你说的命运到底是啥？"

他顿了顿，说："我觉得我来到南京了，就可以逆天改命，就可以过上自己想要的自由的人生。可你看看这世界上，哪里有什么自由呢？一个人年轻的时候，永远不懂得珍惜现下的生活，只空想着未来一定会更好，结果弄丢了珍贵的东西。”

我稍微听明白一点了，问：“你那时候觉得在南京更能实现你的自我价值对吧？”

他点点头，又说：“我觉得我那时候可能理解错了‘自我价值’这四个字。”

我耸耸肩，又老半天没说话。

“你越来越消极了，”这是我告别时跟他说的最后一句话，“你不能因为现在过得不好，就否定之前的选择。”

他沉默半晌，说：“你觉得呢？”

我没回答，上了车，直到今天也没有回答。

小毛同志成了一个还不错的业余摄影师。

她本来也没想着能靠摄影养活自己，现在纯当爱好。

现在她在上海生活，租房挤地铁，她说，后来想想，还是觉得上海好。

二〇一七年这本书的初版出版以后，她倒是专程找过我一次，跟我说：“如果有异地恋的读者问你相不相信异地恋，你就回复说，异地恋重要的不是距离，重要的是人。人对就对，人不对就都不对，两人都珍惜就能成，一方不珍惜就完蛋。”

于是我又问：“那什么才是对的人呢？”

小毛同志想了想，说：“对的人就是跟你半径一样的半圆，你看啊，我们每个人都是一个半圆形，都有着自己的半径，有的人长，有的人短。对的人呢，就是跟你合在一起，能够组成一个完美的圆的人。”

我点点头，说：“懂了，按照你这个比喻，感情是一点都将就不得，因为两个半径不一样的半圆组合在一起，那样的形状面对生活的道路肯定磕磕碰碰，走不远。”

小毛同志嘴角一扬，说：“可不是。”

写在这里，转述给你。

老陈和包子现在依然是我最好的朋友。

虽然因为疫情没法时常见面，但总有些友谊是不会因为不见面就变淡的。这样的友谊不多，但总还是有的。我们都步入了中年，不再那么热血，但依然很珍惜每次能见面的时光。

我后来再也没见过森森。

本来想着二〇一九年跑完活动，二〇二〇年怎么也得见一面，可还是没见成。

她的朋友圈也不再更新，本来分享欲就很低，现在更是不分享自己的生活。

她跟我聊天的次数也不多，零星聊过几次，言语中透露出她还是一个人，偶尔还会翻翻星座，也还相信爱情，但不相信爱情会降临到自己的身上。

刘校文同学在武汉，很挂念二筒。

现在遇到了另一半，刚开始新的恋情。

我还没能见到他们，如果有机会，以后再书写他以后的故事。

青青……离开了北京。

她要走的前几天，约我见了面。

我问："以后准备做什么？"

她半开玩笑说："离异的中年人嘛……就混混日子。"

看我半天没说话，她倒笑了，说："我早就想好干什么啦，去考执业兽医师资格证，可能的话，在家乡找一家宠物医院工作。"

我想她现在应该正在为了考试而奋斗着呢。

祝她得偿所愿。

蒋莹同学还是老样子。

疫情的到来，相当大程度地打乱了她的正常生活。二〇二一年六月，我们短暂地聊了会儿天。她提到前几天躲在厕所哭，因为她所有的计划都被打乱，公司运转也出了问题。她那么要强的一个人，明面上依然得鼓舞士气，冲锋陷阵，可做好的计划书一个个被退回，谈好的合作一个个都取消，让她也难免崩溃。

我听到这里，说："我还以为上次在书里写你哭，是你这辈子最后一次哭。"

她说：“老娘也是这么想的，谁能知道这世道越过越难了呢。这人真是越长大，就越要跟个变形金刚似的，身子骨得硬，还得能各种变形来适应各种变故；掌握一个技能还不够，还得掌握下一个；克服一个困难还不够，还要准备克服下一个……”

我打断她，说：“变形金刚跟你说的不是一回事……”

她说：“变形金刚到底是啥重要吗？不重要。你别打岔。我这段时间反正是搞明白了，生活想方设法地要搞垮你，你还真就不能被它搞垮了。我要跟生活做斗争，你还别说，我这几天还感觉到了乐趣。”

我说：“那感情呢？最近有没有什么进展？”

她飞速地回了句：“男人？男人是什么？男人重要吗？不重要。”

我说：“你之前可不是这么说的，你还说你有少女心呢。”

她似乎是回想起了我写的故事，顿了顿才说：“不冲突啊，我有少女心，我期待有个人出现没错。但我更知道感情这件事，只能等，等不到就继续等。反正也是等，那我干吗不挖空心思好好跟生活斗下去呢？”

也是。

老唐和任婧，也还是老样子。

真的，完全没变。

至于小月，这五年来，我并没有时常跟她联系，也没有跟她约着见面。

我不知道我能跟她说什么。

只是在二〇二一年去深圳做活动的时候，我似乎远远地看到了她，可又无法确定。

王者荣耀这款游戏，我也好久没再打开过。

对了，还有韩琪。

希望她的生活一切顺利。

三

其实很多故事的结局，都已经定格在某一个过去的时刻了。

往后发生的所有事情，都属于新的篇章。

很多人跟我的联系迄今未断，可有些人早已失散。

或许你也同样。

那么大概，你也曾经在某段时间内很难释怀。

就好像我曾经总觉得，每走散一个朋友，我内心的一小部分也就跟着一起走了。那时我会因为任何一个人的离开而自责，总觉得是自己哪里做得不够好，总觉得是自己的错。

可其实这并不是谁的错。

倘若生命是一辆列车，那就一定会有人上车，有人下车，有的人跟你同行一段，是因为恰好你们在走向终点的路途中，有这么一段路重合。往后他们转了个弯，而你却必须前行。

没有谁对谁错，只是方向不同。

如果你还是觉得难过，那么在这篇文章的结尾，我想跟你说上这么一段话。

那些发生过的美好的故事，那么辉煌，那么耀眼。

即使最后故事没有后续，也不要觉得遗憾。

因为曾经遇到过的刻骨铭心的人，发生过的熠熠生辉的事，终会在你觉得难熬的时候，兀自闪耀，照亮你前行的路。

这就是你与美好相遇的意义。

那些发生过的糟糕的故事，那么痛苦，那么难熬。

那便都交给时间。

不需要刻意遗忘，也不用假装坚强。

只要你在能前行的每个瞬间，能鼓起力气的每个时刻，都能够往前走一步，就足够了。

时间会保护你，如同大浪淘沙，最后你能够抓住的，能够留下的，就是最重要的。

深夜食堂倒闭录

月亮依然是那颗月亮，它忙着圆缺，总是不停歇，却又从不缺席，可那个地方的人却不再是曾经的人了。

♪ 周杰伦《稻香》

一

我第一次见到李富贵是在二〇一七年年底。

在一次平平无奇的聚会上，朋友叫来了另一个朋友，大家组了一局狼人杀。

但是很快叫他来的朋友就后悔了，因为李富贵压根就不会玩，第一局上来就自曝了狼人身份，一脸天真地用四川口音问游戏的主持人："我是狼人吗？我要怎么杀平民呢？"

主持人一脸无奈地看着他，说："你用手指指就行。"

李富贵挠挠头，说："哦，这样啊，对不起。"

后来他好不容易弄懂了游戏规则，可游戏依然进行不下去。

因为狼人杀这个游戏的精髓就在于骗人，当你的身份牌是狼人的时候，你得让平民相信你是预言家，相信你有特殊身份，相信你是个好人。

而轮到再次拿到狼人牌的李富贵发言时，他脸涨得通红，半天就憋出一句："我是个好人。"

…………

鬼才信你啊！

所以游戏没玩多久就散了场。

散场前我听到几句窃窃私语，一个人说："你怎么叫上一个不会玩的人来啊？"

另一个人说："这么临时，我也叫不到别人啊。"

"这人到底谁啊，你怎么认识的？"

"我老乡啊，人很好的！"

我正在等车，听得出语气里的某种嫌弃。然后我扭头一看，李富贵就站在我后头不远的位置。

我能听到的，他肯定也都听到了。

他又挠了挠头，憨憨地笑了笑。

二

我后来才知道，李富贵那不标准的普通话不是四川口音，而是贵州口音。

虽然我到今天也没能分清这两者的区别。

我原本也以为我和这个怯生生的陌生人不会再有什么联系。

后来的聚会上也没再出现他的身影，再后来我也不怎么参加聚会了，或者说，到后来，我跟自己的好朋友们也没办法常常见面了。

我跟李富贵的第二次见面纯属偶然，那是二〇一八年八月的事。

那天我有事去了趟望京，事情忙完刚巧赶上晚高峰，一下楼看着眼前堵塞的交通就觉得头昏眼花。我看了眼导航，一看到家得两个多小时，得，还是在附近转悠转悠好了。

本想去商场，可不知怎的，到了商场门口又觉得还是去别的地方好了。我就这么越走越偏，越走越远，直到拐进一条小路。眼前出现了一条热闹的小巷，路边是各色小摊，烤冷面、毛鸡蛋、臭豆腐，各个红底黄字的招牌争先恐后地闪着光，只可惜路不太好走，每走几步都是坑洼。这条小巷的正中间，是一座看起来摇摇欲坠的旧石桥，石桥下是几乎一动不动的死水，没有一点涟漪，唯有几个破旧塑料瓶宣示着这里的河水还在默默流淌。

再往前走，就能看到好几户人家，房子与房子挤在一块，门口的电瓶车也连成一线，每辆电瓶车上都有外卖的标志。

我买了烤冷面，吃了口毛鸡蛋，慢悠悠地向着巷子深处走。

一家小餐厅吸引了我的注意，主要是因为这家店的名字是“深夜食堂”，走近一看，这里生意还挺不错，总共也就六张桌子，坐得满满当当。

我就是这样在门口遇见了李富贵。

“欢迎光临！”他说，接着皱起眉，像是在想什么，又展开了笑脸，说：“巧了，咱们见过！”

我一时间没能反应过来眼前的人到底是谁，直到他又不好意思地挠挠头，说：“上次我们一起玩了几把狼人杀，我玩不好，给你们添麻烦了。”

我的第一反应是有些不知所措，说真的，我很少在生活里听到“给你们添麻烦了”这样的话，也没想到他居然还记得我。

见我沉默，他赶紧又招呼我，说：“来，快进来，我给你挪个位置出来。”说完赶紧叫人从里屋拿出一张小小的折叠桌，又拿出两把凳子，我也就只能跟着坐了下来。

我问：“这家店是你开的？”

他说：“刚开半年多，以前我都是给别人打工，现在可算是能为自己忙活了。”

他又问：“喝点啤酒？”

我点点头，又看了眼招牌，说：“深夜食堂这个名字不错，你是看过那部日剧吗？”

他笑着说：“哪儿看什么日剧，也忘了是从哪里听到这个名字的，觉得不错。我们这儿都营业到三四点，叫深夜食堂刚好。”说完他又笑了，露出两排牙，说：“我这个人没什么文化，别介意。”

我又有点不知所措，这样的对话不常出现在我的生活里，所以不知道怎么接话，就拿起啤酒喝了一口。他也就站起来招呼别人去了。

饭吃到一半，他又来了，拿着一瓶啤酒，旁边站了个姑娘。

他说：“口味合适的话以后常来，这是我媳妇，我能开这家店多亏了她。”

姑娘笑着说：“要是贵州菜吃不惯，我们这儿还有烧烤。改天你要是中午来，还能吃顿饺子和馄饨。”

我问：“这里还有饺子和馄饨呢？”

李富贵说：“我媳妇是东北人，她的拿手好菜。”

我突然意识到了什么，问：“你们营业到凌晨三四点，中午又开张卖饺子馄饨，那你们什么时候睡觉啊？”

李富贵乐呵呵地说：“早上睡，十点起。够睡，不影响。”

我看着他的眼睛，里面写满了热情和希望。

我点点头，笑着说：“那就祝你生意兴隆。”

三

后来我酒过三巡，也放开了许多，晃晃悠悠地跟他们唠起家常。

我说："菜好吃，没想到你的手艺这么好。"

他有些不好意思，说："以前没好好读书，就瞎琢磨菜怎么做了。"

老板娘在一旁搭话，说："这叫天赋。"

李富贵说他没好好读书，其实是他没办法好好读书。

他说小时候自己是个留守儿童，身边人压根就没把读书当回事，他爹倒是劝过他，可毕竟不在身边。他就想着，爸妈在外地赚钱辛苦，到家了还得照顾他。有年春节他看着他妈满脸疲惫，还得忙里忙外，心想自己帮不上什么忙，就学做饭。

于是他十岁就第一次开了灶，最开始炒的几个菜都煳了，他心疼得不行，默默流眼泪。奶奶从地里干完农活回来，看到李富贵的脸上全是黑灰，反倒乐了，说："没事，菜，地里还有。"

也就过了几个月，李富贵的厨艺就开始飞速进步。

他说到这里，又不好意思地笑了，这种标志性的笑容在这之前我很少见到，在这之后也很少见到，但李富贵脸上却常挂着这样的笑容。

"宫保鸡丁是贵州菜，那是我学会做的第一道带肉的菜。"他说，

“不过当时杀鸡的时候，我又哭了，怎么说呢，毕竟我也是看着它长大的。”

这句话把我们都逗笑了。

他媳妇更是笑得前仰后合。

李富贵挠挠头，似乎不明白大家在笑什么。

十六岁的时候李富贵辍了学，只身一人来了北京。

那时候他想着，未来的某一天一定要开一家属于自己的店，他觉得自己二十六岁时一定能实现这个梦想。哪儿知道实现梦想的道路远比他想象中更长，他原本想找一家餐馆当服务生，可没想到大城市的餐馆竞争居然那么激烈，想当服务生都没什么机会。

他也找不到其他工作，身上的钱很快就所剩无几，在北京又举目无亲，那时候他每天夜里都不知道能去哪儿。

“像个孤魂野鬼。”他说。

好在之后他遇到了一个老乡，被老乡带进了工地，一干就是好几年。

这期间他接触到了一本书，叫《平凡的世界》，是他老乡天天带在身上的书。

老乡说：“人穷不能穷志向，老弟，看看这本书里的孙少平，他也是在工地里工作，但每天还会读书，从来没放弃过自己的志向。”

李富贵虽然辍学，但认字不成问题，一来二去，这本书就变成了他的宝贝。

“我以前不知道读书有什么用，到那时候才知道，人还是得读书，”他说，又不好意思地笑了，说，“可能你们读书人会笑话我，我才读了多少书啊，就跟你说人得读书的事了。”

我说：“这有啥，我到现在都不会做几个菜，你肯定也不会笑话我，对吧。”

他突然用力眨了眨眼睛，举起酒瓶，敬了我一杯。

喝完后，他又继续说起他的故事。

二〇一五年，他跟现在的老婆认识。

我说：“你到现在还没说你老婆叫什么呢。”

他说：“你叫她十七就行，我们都这么叫。”

他跟十七是在书店认识的，那天他去书店买书，一眼就相中了十七。

他说自己本来没想着能跟十七在一起，自己也不算是胆子大的人，但那天就鬼使神差地跟她说了几句话，鬼使神差地要到了她的电话号码。

十七说：“我也没想到有人会跟我搭话，我当时看你也不像坏人。”说到这里她顿了顿，又说，“我果然没看错。”

我“咳”了一声，说：“要说故事就好好说故事，不要虐单身人士。”

他笑着说：“好好好，我继续。”

四

两人在一起很顺利，可是说到要结婚的时候，李富贵退缩了。

他不是不想和十七结婚，只是不知道自己能给她什么。

二〇一七年春节，他跟他爹说起自己的顾虑，心想他爹肯定能理解他。哪儿知道他爹一拍桌子，勃然大怒，说："李富贵！你是不是男人！我怎么越听越瞧不起你这兔崽子了呢！"

李富贵他爹说："十七我见过，姑娘挺好。她嫌弃过你吗？你倒嫌弃起自己来了！十七有一天偷偷跟我说，她从来不觉得自己是在吃苦，就因为能跟你在一起。她觉得你有志向，也踏实，还算努力，也觉得现在的日子很不错。我看她真是瞎了眼！是，我知道你的顾虑，你的担心。但你还没努力过，就开始打退堂鼓，是怎么回事？你不是不知道你到底能给她什么吗？给她未来！给她时间！给她爱！你把你有的一切都给她，通通都给她！

"我看你就是怕了，就是懒，就是不想承担责任。我是个农村人，别的我不懂，我就知道她陪你吃过苦，你就该给她一个家，就该承担起你的责任。"

说完他爹走到卧室，拿出了一张旧存折，摔到李富贵面前。

"这是你妈跟我这些年存的钱，"他说，"不多，但应该够了。"

李富贵颤抖着拿起存折，看着他爹，一句话都说不出口。

老人家坐了下来，喝了口水，静静地看了会儿李富贵，轻声说："你想做什么我都知道，你瞒不住我。前几天你魂不守舍的样子我也看到了，你跟十七打电话的事我也知道。挂完电话你哭的事我也知道，一个大老爷们，哭成那样。十七说什么我也都猜得到。你是个男人，未来在你自己手里，再说，我对你有信心。你妈对你，也有。还有你奶奶，隔壁老徐、老王，还有你那初中老师，你还记得吧，我们对你，都有信心。

"你啊，从小就是个懂事娃，就偏偏不懂自己。"

李富贵他爹说到这里，眼眶都红了，又喝了口水，没再说什么，起身走了。

李富贵讲这段往事的时候，眼里也泛着泪。

我看了眼十七，她正偷偷地抹眼泪。

我刚想说点什么，李富贵又开始了，不好意思地跟我道歉，说："嗐，喝了点酒，又觉得投缘，也没想到会说这么多，你别介意，我们就是这样，想到什么就说什么，也不管别的。"

我说："这家店生意一定会越来越好的。"

他说："有我媳妇帮我，一定会的。"

十七说："我也不想这家店能有多好，也不求什么，就希望来这里吃饭的人啊，都能吃饱了回家。”

五

二〇一八年呼啸而过，转眼到了二〇一九年。

二〇一九年我忙着自己的事，没怎么能见到他，但他每逢节日，总会给我发条信息。

我出了《时间的答案》之后，给他寄了一本，也没期待会有什么回应，因为我寄出去的书很多，但几乎没有什么人会专门为这件事表达什么。

可李富贵在几天后给我发了条读后感，占满了手机的一整个屏幕。

我找他喝了次酒，深夜食堂这家小店的生意依然红火。

我当时想，以后应该能有机会经常见面，以后这家店一定会被越来越多的人知道。

时间走到二〇二〇年。

对大部分人来说，这是一个不美好的年份。

一个所有美梦都破碎的年份。

对李富贵来说，也一样。

六

二〇二〇年十月。

我去出版社开会，顺道又去了一趟深夜食堂。

那条小巷没有什么变化，依然跟以前一模一样，只是月光照在路上，显得路面更凹凸不平。

深夜食堂依然红火，六张桌子坐满了人。

李富贵老远就看到了我，一脸笑容地跟我打招呼。

“好久没来了吧，快来坐，”他说，“这么久没见，你气色还是跟之前一样，那就好那就好。”

我说：“最近过得怎么样？”

李富贵挠了挠头，说：“还行，还行。”

其实李富贵过得并不好。

我不用听他说我都知道。

他整个人给人的感觉，就像是刚从下水道里爬起来似的。头发大概几个月没剪了，脸上也莫名凹陷了好几块，眼睛里都是红血丝，一看就已经有很长时间没睡好了。

我想他大概是从二〇二〇年的第一天开始，就再也没能睡好过。

将近半年不能开张，对任何行业来说都是致命的打击。李富贵自己开的这家小店，能撑到现在就已经是奇迹了。我在去见他之前，就接连收到了好几条信息，都是我曾经很喜欢吃的店、曾经经常去的艾灸所、曾经办过会员的书店发来的停业消息。

那几个月，我不记得我跟多少人说了一句：“江湖再见，好好生活。”

其实我本以为这次，我会见不到李富贵的。

十七从后厨走出来的时候，我看她很像是刚哭过一场。

她一见到我，就立刻摆出了笑容，看起来是不想让我担心。

这种笑容我也见过多次，我在胡幽幽的脸上见过，我在森森的脸上见过，我在小毛的脸上见过，我知道她们表达的意思都是一样的：“我很好，真的，我很好，别担心。”

所以我没能说出点什么，确切地说，我什么都没说。我只是一边吃着饭一边看着门外，看着外面的每个人为了生计而奔波，想着这条看起来毫无变化的小巷，这些日子送走了多少人。

结账时，我问李富贵：“你们这儿的菜可以涨涨价，我想大家都不会介意的。”

李富贵慌了神，说：“这怎么行，你放心，我们可以的。”

我自觉说错了话，连忙道歉，说：“你的手艺，真是一点都没退步。”

他笑着说：“那以后常来。”

我点点头。

临走时李富贵说："思浩，别被打垮，别被这该死的生活打垮。你继续写书，继续写更好的书。"

我说："会的，你也别垮，我跟所有人一样，对你，有信心。"

七

李富贵从来不开口求人。

即使在他最困难的时候也没有，他后来说，那是他从《平凡的世界》里的孙少平身上学到的。

他唯一一次给我发信息，发类似求助的信息，是深夜食堂倒闭的那天。

这一天，已经是二〇二一年十月了。

他不知道拿那些桌椅怎么办。

我收到他的信息，第一时间赶到了那条小巷。

李富贵无助地站在门口，看着门上贴的"转让"的告示。

我问："转出去了吗？"

他摇摇头。

我说："那怎么办？"

他无声地叹了口气，说："没人接手，也只能直接闭店了。少亏一点是一点。"

我说："未来还长，你的手艺还在，会好的。"

其实在我说出这句话的时候，我自己都觉得很无力，可我实在不知道该说什么。

十七走了出来，看着深夜食堂的招牌，说："以后也不知道什么时候才能再支起这块招牌了。"又说，"也没办法，疫情搞得谁都没办法。你呢，你那边怎么样？"

我说："我还好，总归还是有一些人会买书的，实体店没了，还有线上。"

十七说："那就好，要是你也撑不下去了，我们就更难过了。"

我笑了笑，想说些轻松的话，便说："你们肯定也可以的，我还等着哪天再吃你们做的菜呢。我说真的，从今天起，我可就再也不吃贵州菜了，我就吃你们做的。"

李富贵笑了，说："那你可能得很长一段时间吃不了贵州菜喽。"

我说："也就几个月我估计。"

李富贵说了句："可能得好几年了。"

一时无话。

我好不容易才再次打破沉默，问："真决定离开北京了？"

李富贵点点头。

我说："我查过了，铜仁也有机场，我一定会去看你的。"

李富贵说："你来，我肯定去接你，就是我家离机场有点远，而且我也不一定能在铜仁市区里待着。”

我拍了拍李富贵的肩膀，说：“说什么呢，你肯定能在市里待着。就你这手艺，绝对是稀缺人才。稀缺人才有时会遇到困难，但到哪儿都立得住，站得稳。”

李富贵突然眼眶一红，半晌说不出话。

我不知道自己是不是说错了什么，可也只能等着他再次开口。

时间不知道过去多久，他突然说：“你这话跟我爹说的，一模一样。”

说完他就哭了起来。

我想说些什么话，十七把我拉到一边，说：“让他哭会儿，这两年他是怎么过的我最清楚，让他哭会儿，他一直都没能像这样哭出来过。”

我说：“你这些日子，肯定也很难过吧。”

十七说：“我还好，我真的还好。富贵就喜欢什么事情都自己担着，跟他比起来，我压根就不算受过苦。你知道吗？就前几个月，我们真的一分钱都拿不出来了，他还是一点都不会让我饿着。我不知道他到底做了什么，才能在每天回家的时候，变出那么些吃的来。而且街坊邻居也都会帮忙，他们自己的日子都不好过了，但还是会给我们留点菜。富贵嘛，你知道的，无论是菜叶子，还是菜梗，他做的，都好吃。”

我听着十七这番话，突然想起富贵他爹跟他说的那番话来。

"她从来不觉得自己是在吃苦，就因为能跟你在一起。"

我说："富贵有你，就是他这辈子最大的富贵。"

十七听了也眼眶一红，沉默半晌，才说："我就希望他啊，可以平平安安，就像孙少平和孙少安的名字一样。"

那天的后来，我帮他们找了辆货拉拉，把桌椅弄到了一个仓库。

那天的后来，我们喝了会儿啤酒，说了很多很多话。

我记得他说："不知道为什么生活会变成现在这个样子。"

我记得他说："哎呀，一家店说没就没了，跟做梦似的。"

我记得他说："以前觉得梦想要十年才能实现，现在想想，可能得三十年，四十年。"

我记得他说："但我觉得你们说得对，我要相信自己。"

我还记得他说："我看了你的《时间的答案》，你不是说，每个人都是幸存者嘛，我觉得我还能活下去，我也就是幸存者，幸存者就得在废墟里，一点点重建自己的人生。"

我说："你有这样的信念，就足够了，真的。世事无常，唯有前行。"

我们一路走了很远，从那条小巷走到了望京SOHO，又一路走到地铁站。

他说："送君千里，终须一别。我没什么文化，但这句话我知道。我觉得我们也该就此一别了。"

我说："你总说自己没有文化，但我觉得，你什么都不缺，富贵。"

他说："以后我会在贵州的某个城市等着你的新书上市，等着我们那儿的书店有你的书。"

说完他又说："别垮，别被生活打垮。"

我说："你也是，别被打垮。我对你，有信心。"

于是，就此一别。

八

其实我一直不知道该怎么写李富贵的故事。

因为他的故事很长，很难用寥寥几笔写出来；因为他的故事跟我之前写过的故事都不一样，多了很多生活的难，那些无解的难。

时代变换，我们都是芸芸众生中的一个，时代的浪潮打过来，我们连站稳的能力都没有。

李富贵后来回了贵州，回了铜仁，但他始终没有告诉我，那家深夜食堂有没有以另一种方式重新开张。

我在二〇二二年六月八日，又去了那条小巷。

那里已经不是我记忆里的模样了，也不过是短短一年的光景，又萧条了许多。

月亮依然是那颗月亮，它忙着圆缺，总是不停歇，却又从不缺席，可那个地方的人却不再是曾经的人了，人们也不停歇，却都悄悄缺席。

我走到曾有那家店的地方，那里开了另外一家餐馆，门口贴着另外的招牌。

老板跟我打招呼，问要不要进来吃饭，我摆摆手，笑着说还不饿。

我瞥见门口的红色菜单，旁边写着“供应早饭”。

我突然意识到，这家店的老板，大概也是为了能够生存下去，不得不牺牲自己的睡眠。

这座城市，有着无数不得不牺牲自己睡眠的人。

我不知道他们有多少人能够在这座城市扎下脚跟。

我也不知道未来会发生什么，就好像二〇一九年的时候，我觉得那已经是最苦、最艰难的一年了，可二〇二〇年来得那么猝不及防，像是一场地震，直到今天，我们依然没能从余震中走出来。

或许二〇二三年会更艰难，又或许二〇二三年会真的好起来。

没有人有答案。

我没有。

十七没有。

李富贵也没有。

可对另外一个问题，他们有答案。

即便生活是一片废墟，也要从废墟中重新建造起自己的高楼来。

李富贵一定还在这个世界的某个角落里为了生活而努力，而十七也一定陪在他的身边，一起奋斗着。他们一定还深爱着彼此，他们也一定认真地对待着生活，善良地对待着客人，温柔地对待着朋友。

“别垮，别被生活打垮。”

这句话是他送给我的。

我也送给每个读到这里的你。

普通人的勇气

我们能从一场变故、一场灾难中走出来，就是因为有许许多多的普通人，愿意鼓起那么一份勇气。

♪ 向井太一 “Reset” [1]

一

二〇一七年元旦，我跟朋友去武汉跨年。

那一年我们先是去了东湖，又去了汉口的江边，还去了一趟武汉大学。那是孤陋寡闻的我第一次知道，原来中国除了西湖，还有一个东湖。小杰说起东湖的时候一脸自豪，说那是因为我们武汉人低调，不想抢了西湖的风头，我们东湖可一点都不比西湖差。

我坐在湖边的椅子上，默默拆了份朋友给我带的周黑鸭，吹着风，喝着啤酒，啃着鸭脖，看着夕阳逐渐染红湖面，就这么迎来了

1 中译名：《重置》。

二〇一七年的第一天。

二〇一九年，我出版《时间的答案》，开启新一轮的签售行程。

光谷广场好像在改建，一时间只看到各种挖掘机器，我心里有些感慨，因为在我的认知里，光谷广场本来就已经很便利了，也是很热闹的地方，现在又要进行改建，不由得觉得城市的发展永远日新月异。

签售前我见了武汉的朋友，他照例给我带了一盒周黑鸭。

他说："上次你来的时候还是二〇一七年，现在都二〇一九年了。当时婧婧还没有结婚，现在她都怀孕了，所以这次就没能来看你。"

我摆摆手，说："没关系，有的是机会。"

那天我还见了很多武汉的读者，说了很久的话。

由于我几乎每次出书都会去武汉做活动，一来二去也跟一些读者熟悉起来，虽然我叫不出他们全部的名字，可是见了面就能认出来。

我记得当时签名的时候，给其中的一位读者签了一句话："明年见。"

我抬头说："等我出下本书，有机会还会来武汉，我们到时见。"

时间悄然走到二〇二〇年。

一夜之间，我们所熟悉的生活被彻底打乱。

二

我们有一个群，群里面是很多小伙伴。

包子和老陈都在里面，自然也包括老刘。自从七喜离开北京之后，他就也萌生了离开北京的想法。按照他的逻辑，就是："我只有离开这座城市，才能真的重新开始。"

于是那几年他兜兜转转，从北京到了上海，从上海去了南京，从南京到了武汉。

二〇二〇年二月，我们心急火燎地在网络上关注武汉的消息，也时不时地在群里找老刘。

老刘却一连好几天没有出现在群里，搞得我们每个人都很担心。

直到二月底，他才在群里出现，说了句："我没事，但不太好。"

于是他才告诉我，这几天他每天都失眠，根本就不敢打开微信，因为害怕看到什么消息让自己难受。

类似的话，我在小杰这边也听到了。

他还告诉我，现在他每天都能听到救护车的声音，内心止不住地害怕，很难调节自己的情绪。所有人都在努力，所有人都在等待，他相信一切都会好起来。

说到这里他顿了顿，问我："还记得去年你来武汉的时候，我跟你说婧婧怀孕了吗？她马上就要到预产期了，三月五号。”

我沉默了半晌，只能挤出一句：“没事的，肯定会没事的。”

过了一会儿，我又问老刘：“你今天吃了什么？”

他说：“我今天吃了红烧肉，你敢相信吗？因为能吃到红烧肉，我刚才兴奋得在家里手舞足蹈。”

三

二〇二〇年四月，武汉解封。

一天我打开网页，看到了一位读者的文章，在结尾处 @ 了很多人。我对这位读者的 ID（账号）有些印象，也对她 @ 出的其中几个 ID 很眼熟，才想起他们都是之前来过我签售活动的人。我记得曾经有读者告诉过我，他们在活动中认识了许多朋友。

点进去一看，原来她在这两个月里，参加了一线的防疫。

这篇文章不长，像是她的一个备忘录，里面林林总总地记录了她这两个月来的心路历程。

她说：“其实我很害怕，但我觉得一件事情总需要有人去做，更何况我也懂得如何去做。如果这次退缩了，我可能会后悔一辈子。”

她说：“克服恐惧，克服恐惧，克服恐惧，你可以的。”

她说：“护士长今天去了，明天就轮到我了。没事的。”

她说："今天妈妈给我打电话，试探性地问我要不要干脆辞职。电话里她哭了，我也哭了。"

她说："只有去过一次，只要去过一次，就一定不会再怕了。"

她说："刚才我吓得浑身发抖，我觉得自己很没用。"

她说："今天又有好几个病人康复了，他们跟我说'谢谢'的时候，我觉得一切都值得。"

我看完文章，给老刘打了个电话。

老刘说："放心，已经解封了。"

说到这里他顿了顿，说："春天到了啊，我还真是第一次对春天的到来，这么感激。"

我看向窗外，北京的天很蓝。

一阵沉默。

他打破了沉默，说："我还记得也就是一个月前，我在家里向窗外看，偌大的一座城市空无一人。我那时候在想，什么时候能春暖花开，什么时候能看到熙熙攘攘的人群。说出来你可能不信，明明都三月了，明明气温已经十几度了，可我看到那条街道的时候，只觉得寒风刺骨。不过，好在春天还是来了，只是这冬天，还真是长啊。"

我说："我刚看了一篇文章，是一位医护人员写的。我还看到了很多故事、很多新闻。我觉得医护人员真的很伟大，我觉得每个劫后余生的人，都很伟大。"

他说："如果你以后要写文章记录这些，你就写这句话。我是一个普通人，一个再普通不过的人，我只想好好活着。我是一个懦弱的人，也没有足够的能力。我今天还能够安安稳稳地跟你打电话，需要感谢很多人，真的。感谢那些我不知道名字的人。但我很清楚，他们一开始也只是普通人，他们在走上一线的时候，心里肯定也害怕。我前段时间在武汉认识的一个朋友，被派到方舱执勤，当志愿者。他跟我说当时他害怕得要死。我劝过他，我说你不做还有别人去做的，你也是别人家的儿子，他说如果人人都像我这么想，就真的没有人去做了。我要去。老卢，我们能从一场变故、一场灾难中走出来，就是因为有许许多多的普通人，愿意鼓起那么一份勇气。"

"勇气。"他说，"记住，你一定要着重写这两个字，勇气。"

我点点头，说："记住了。"

挂电话前他突然问："二筒最近怎么样？"

我说："白白胖胖，啊不是，灰灰胖胖的，你放心。"

他哈哈笑了两声，说："得了，我去忙了，回见。"

挂完电话，我看向二筒。

心想，世界不会毁灭的，二筒，你啊，就安心吃吃喝喝，继续胖下去吧。

四

二〇二〇年十一月，我又去了趟武汉，约上了小杰和婧婧。

婧婧这人不爱发朋友圈，微信也是能不回就不回，所以我也就只知道她顺利生下了孩子。具体的过程我一概不知。

吃饭的时候我一直犹豫着要不要问问当时的情况，但又觉得或许不该问，也或许就没什么好问的。

倒是她主动提起来，说起当时的情况。

八个月前，也就是二月末，她预产期要到了，被送进了医院。大家或许也知道，生子的过程中呼吸很重要，需要大口呼气大口吸气，然而那时候正是疫情最严重的时候，她没有办法，只能戴着口罩。这个过程远比她预想的要更艰辛，还好孩子顺利出生。

提到孩子时她脸上的笑容我记得很清楚，但她说起这段故事的时候，眼神里的紧张也依稀可辨。

接着另一旁的朋友说起了另一个故事，可能你读起来会觉得很揪心。

疫情基本稳定之后，武汉解封，一切都向着好的方向发展。有一对夫妻，是抗疫的一线工作者，在疫情逐步趋于稳定，新增病例为零之后，他们也被评为“先进工作者”。

武汉的一切恢复正常之后，有一天丈夫带着妻子出门，在路口出了交通事故，一家三口都没能幸免于难。是的，那位妻子的肚子里，还怀着一个孩子。

朋友顿了顿，接着说，现在他们家里还剩下一个老大，也只剩下那个孩子了。我们听罢沉默，许久没有说话。

“武汉人真的很坚强。”朋友再次说。

我突然想起曾经写过的一句话：“我们都幸存了下来。”

没有理由再不好好生活。

五

时间走到二〇二二年。

因为诸多原因，我后来便再也没能去成武汉。

疫情也还没有彻底过去，我们无论走到哪里，还需要戴着口罩。

这两年，我愈发对这四个字感同身受——

“世事无常。”

“约定”这两个字，正逐渐变得无力。

我们开始不敢期待很久以后的事，因为深知生活充满了变故。

我们开始经历大悲大苦，经历生老病死，才明白有些事并非人力能改变，有些人说了再见就是再也不见。

当我能跟读者朋友见面的时候，他们在提问环节问我的问题，也逐渐变得沉重。

多年前，我们可能为了爱情痛苦，为了考研迷茫，为了友情纠结。如今这些依然困扰我们，然而生活却多了一些更深刻、更无解的难题。

如果要做个总结，大概是这样的：

生活不是努力了就可以变好的，喜欢做的事情也不是轻易就可以做的。以前总听别人说，坚持就好了，努力就好了，都会好的，可是真的做起来压根就不是这样。这种时候要怎么办呢？这种时候我们还能轻易地相信时间吗？

我总是一时间不知道该怎么回答。

直到今天我决定记录这些日子的生活时，直到我写完以上的文字时，我脑海里才出现了一个清晰的答案。

四个字：尽力而为。

六

我想是这样的。

世事无常，分道扬镳，生老病死，我们常常没法得偿所愿。

然而我们都必须尽力而为。

因为过往的生活经验告诉我们，倘若我们真的从战胜疫情这件事中学到了什么，那就是："如果我们都认为即使努力去做了也没有任何改变的话，那这个世界就真的不会好起来。如果十个人这么想，一百个人这么想，一万个人这么想，那么我们早就输掉了那场战役。"

事实是，我们已经度过了最艰难的时刻，自那以后又过去了两年多，我们才一路走到了这里。

我们依然能够在看到某些视频的时候哈哈大笑，依然能够时不时地与朋友见面，依然能够在自己所选择的方向上奋斗，依然能够感受到又一年的夏天的到来。

我们能够真切地感受到，这个世界大概还是在一点点地好起来。

其实我并不知道你所遭遇的痛苦是什么，写文章的时候我只能按照自己的心意去写，我无法感知到读到这篇文章的你，每一个你的具体的痛苦。

但我想告诉你，无力感大概会成为生活的常态，大概会在之后的岁月里，与你如影随形。

那些糟糕的事情并不会轻易消失，就像黑夜总不肯轻易地把天空让给黎明，并且它们总会卷土重来，再一次把天空带回黑暗。然而我们总是可以点起一盏灯，点亮属于自己的房间，属于自己的天空。就像这世上一定还有很多人，愿意在这个无常的世界里尽力而为。

一盏灯，两盏灯，一点一滴，便汇聚成了这个时代。

纵使很长一段时间内，我们什么都没有改变，但至少睡前心安。

而我自己的尽力而为，至少让我遇见了你们，也让我找到了属于自己的生活方式。我相信，我们就是这样在无力感中，逐渐找到了坚强，逐渐找到了力量。

这也是我们作为幸存者，必须要做的事。

世事无常，尽力而为。
如此，就好。
你我共勉。

我们走了很远的路，才看到自己

至于路能走成什么样，又能走去哪里……
走着走着，就都知道了。

♪康姆士乐团
《我不希望你孤单地去面对整个喧哗世界》

一

二〇二〇年，就像一个分水岭。

我记得刚开始被迫居家生活的时候，我完全不能适应。

即便我还算是一个坐得住的人，写作本身也要求我必须长时间地孤身一人默默写着，可我还是觉得难受，觉得空气沉闷，主动留在家里，和被迫不能出门，想来完全是两回事。

也是在这一年，我的身边陷入了长久的沉默。

我很难跟老朋友时不时地见面，说话，互相吐槽，互相安慰。

线下如此，线上也是。

打开熟悉的社交网络，熟悉的人却都沉默。以前一个群可以聊很久，可现在谁都不开口说第一句话，因为即便能开口，也大多是几声沉重的叹息。

计划被打乱，梦想被打碎，曾经的生活方式一夜之间全都远去。

我不知道你遭遇了什么样的痛苦，但我想，大概是生活自此开始变得很艰难。

尽管理智告诉我们，不能焦虑，不能急躁，可终究我们还是焦虑，因为我们环顾四周，既无朋友在身边，也很难看清未来的道路。

以至有些时候，我想起曾经热闹的生活，曾经可以四处游荡、四处看看故事的生活，简直像是一种幻觉。我很难想象，比我更年轻的朋友们，比如现在看到这本书的你，是怎么度过自己的大学时代，又是怎么度过职场的最初几年的。

因为本来那些岁月，应该是你最热闹的岁月，应该是你获得最多支持的岁月，可一场疫情改变了一切。

二

大概是二〇二〇年六月，我看到了好几条书店倒闭的消息，打电话给编辑。

他沉默了一会儿，说："我去年不是跟着你跑活动吗？加了很多书店的对接人，这几天，我看着他们的朋友圈都觉得很无力。大书店还好，有总部撑着；最难熬的是一些小书店，一些独立书店，他们没有足够的现金流支撑，通常房租和装修又很贵。哎，我本来挺想再去那几个书店打个卡的，现在也没有机会了。”

他顿了顿，问我：“还记得李老师吗？”

我说：“当然记得了，二〇一三年我出第一本书时就是她联系的我，虽然后来她不做我的图书编辑了，但我们还是会常常联系的。”

他说：“前些日子她辞职了。”

一阵沉默。

最后我也不记得我们还聊了什么。

挂完电话，我觉得还是得跟朋友聊聊天，说说话。

我们在一个群里开始聊天。

老陈问：“你们的行业受到的冲击大吗？”

我说：“还好，还好。我相信看书的人终归还是会看书的，虽然整体的读者群人数不会像以前那么多，但这个行业终究是不会被取代的。”

老陈说：“我最近有一种强烈的不安，我总觉得自己什么时候就会突然被取代了。”

包子说：“我也是，整个时代发展得太快了，你看看现在哪里还有一家实体店可以跟以前一样开十年，开二十年，开一辈子。疫情搞得人心惶惶，所有人都在扎堆试着靠网络来挽救自己，结果搞得网络上更内卷了。每个人都活得比以前累，可是能得到的东西，都比以前少。”

我不知道应该说什么。

以前跟朋友聊天说说话，我们都能够安慰彼此。

现在跟朋友聊天说说话，我们都不知道应该说些什么。

鼓励的话说不出口，可能连自己都不再相信这些。

在那之后，我的人生还是不停地迎来告别。

接连几个月，我总在朋友圈里看到类似这样的话：“北京再见，朋友们，再见。”

我也跟曾经一起奋斗的小伙伴吃了好几次散伙饭。

他们说：“终究还是没能留下来。”

他们说：“以前啊，我们都向往着，可以拥有更好的未来；现在啊，我们回头看，曾经的岁月竟然就是我们的巅峰了。”

我说：“你们都要走了，我本来就是一个挺容易觉得孤独的人，现在我觉得，我离孤独又更近了一点。”

我们举杯，我们碰杯，我们告别。

这就是二〇二〇年，我所遭遇的生活。

我清晰地记得，有一天我送别一个好友，我们喝得几近酩酊大醉，又在路边晃悠到逐渐清醒。我送他到家，看着他收拾好所有的行李，他说："还有三个小时我就要上飞机了，算算现在还有半小时就得走，你也别送我去机场了，我最受不了在机场告别这种事了，我送你下楼，我们走到小区门口。"

他家小区门口有一个天桥，我们在天桥跟彼此挥挥手，然后走向不同的方向。

当我即将走过那个天桥时，我突然停了下来，趴在天桥边的栏杆上，看着车来又车往。我突然很恍惚，开始对自己说话。

那不是一种简单的自言自语，而是真的，开始跟自己说话。

我对自己说："也不知道二〇二一年，大家能活成什么样。也不知道，现在还在身边的人，以后还会不会有联系。"

说话的语气就像是，我从心底觉得，二〇二〇年，好像永远都过不去了。

三

二〇二一年一月的某天。

我大哭了一场，因为二筒差点丢了。

那天一整天我都没有出门，在房间里写作。写作不是很顺利，所以前前后后磨了很久，等我终于回到现实中，我想着看看二筒有没有好好吃饭。

走到猫粮碗旁，发现猫粮一点都没少，我还觉得疑惑，怎么这个小家伙一天都没吃饭。这时我才发现二筒不见了，沙发上没有它，书桌下没有它，床底下也没有它。

我大脑嗡的一下，突然一片空白，整颗心开始发慌，额头也开始冒冷汗。

我仔细回想我今天到底有没有开过门，我仔细回想上一次见到二筒是什么时候。

是那天早上，是的，我早上起来给它倒水的时候，它就在水碗旁边等着。

我一天都没有出门，窗户也都是关着的，二筒不可能会出门。

可它到底能在哪儿呢？

我拿出它最爱玩的逗猫棒，上面有个铃铛叮当响；我又把猫粮袋晃了晃，想让它听到猫粮的声音；我喊着“二筒”“二筒”，我还在网上搜了“能吸引猫咪过来的声音”……

可始终一无所获。

我不知道它在哪儿，我怎么可以不知道它在哪儿！我趴到床底下，又把沙发挪开，把衣柜打开，可就是找不到它。理智告诉我，它应该就在家里的某一个角落，可我的大脑却不确定，有一种类似幻觉的东西变成了记忆，我恍惚间觉得我今天应该开过门，二筒就是这么跑出去的。于是我走出门，坐电梯下楼又坐电梯上楼，爬楼梯到楼顶，又下楼梯走到地下停车场，可就是看不到它的身影。

我的不安终于到达了极限。

回到家绝望地关上门的一瞬间，我蹲在地上，觉得眼前一片模糊，才明白我在哭。

我不知道我哭了多久，就在这时，我突然想到家里还有一个地方我没找过。

我跑到厨房，把下面储物柜的门打开，打开之前我的慌张到达了极点，因为如果连这里都找不到二筒的话，我可能就再也见不到它了。

我刚打开门，就看到了一团熟悉的灰色毛球，接着这个毛球动了动。

二筒打了个哈欠，睁开一只眼看了我一眼，又换了个姿势，继续睡觉了。

……这家伙！到底知不知道现在是什么情况啊！

等到后来冷静下来之后，我才想明白二筒是怎么进去的。

那个储物柜的门一直都关不严，大概是连接处的弹簧坏了，二筒也不知道怎么想的，就自己把门给扒拉开了。我走到厨房烧水的时候，脚踢到了半开的门，就顺势把门给掩上了。

（但其实我到现在也不确定我这个推测是不是完全正确。）

我把二筒抱了出来，抱在怀里，它没多久就挣脱了我，跑到猫粮碗旁边吃了起来。

我摸摸它的头，说："还好你还在。"

还好你还在。

所以我也要继续好好生活。

那天的后来，我把家从头到尾收拾了个遍。

我整理出了很多奇怪的玩意儿，一时间都想不起来当时为什么会买那些。

但我突然有种奇怪的感觉，你看，即使我们后来没能去很多地方，即使我们后来的生活看起来就像陷入了停滞，可其实你仔细整理一下自己的家，就能发现，这些日子，你依然在生活。

四

到了二〇二一年年底，十二月的时候。

我已经相当大程度地适应了我的新生活。

我不再计划明年要去哪里玩，也不再期待生活能够一夜之间恢复从前的热闹。

我不再为了世界的变化而焦虑，也不再担心我写的东西是不是已经不符合当下的时代。

我想，反正时代变换，我永远跟不上最新的节奏，不如就按照自己的节奏生活下去好了。

很多读者总是很好奇，写作之余的生活我是怎么度过的。

我很想告诉你，我的生活可丰富多彩了，虽然摆脱不了永恒的孤独，但我能跟朋友常常见面，常常会分享很多很多有趣的故事；我自己也去了很多地方，见到了很多人，看到了很多有趣的风景；我还想告诉你，我依然生活得轰轰烈烈，永远在路上，永远有热情。

可是我必须诚实地告诉你，我的日常生活很平静。比如每天会出门喂喂流浪猫啦，比如时不时地拼一拼乐高啦；比如黄昏的时候我会尽量出去走走，就是走走，只是走走，有时会走到菜市场，有时会走到公园里吹吹风。

我在北京的朋友圈开始急剧地变窄，因为很多人离开了北京，也因为发现有些热闹不是必需的。

以前我追求热闹，希望身边越热闹越好，现在才发觉，其实在最热闹的时候，我最孤独。

因为我在很长的一段时间内，并没有真的和谁说过几句心里话。

我们总在说场面话，我们总在恭维对方，期待着对方也可以恭维自己。

以前我觉得，我必须身处一个忙碌的环境中。就好像我来到北京，我看着周围人来人往，似乎每个人都有自己的梦想，似乎每个人都能够实现自己的梦想，于是我也可以实现自己的梦想，只要我让我的生活一直忙碌，一直忙碌，我就可以离梦想近一点。

我不愿意慢下来，尽管大多数时候，我并非一个赶时间的人，可骨子里大概还是会害怕被别人抛下，所以我必须看到行业的第一手消息，所以我必须知道世界上发生的新闻，所以我必须第一时间看到他人的动态。

在二〇二〇年之前，其实我从未慢下来审视自己的生活。

或者说，那时的我，自以为自己已经靠近了梦想中的生活。

直到二〇二〇年慢了下来，直到二〇二一年逐渐适应了新的生活节奏，我才发现，其实我一直离真正的生活很遥远。

日子是一天天过的。

老人们常这么说。

我们或许真的听进去了这句话，又或许从未真的理解这句话。

疫情加速了我们的焦虑，但其实那些让我们焦虑的事情，从一开始就存在着。

只不过如今的我们有了借口。

“看，都是疫情闹的。”

我们忘了，其实我们本来就离梦想有一定的距离。

我们忘了，其实我们本来就没能真的在后来找到交心的朋友。

我们忘了，其实我们的忙碌并没有换来内心的安宁。

是的，我们所求的是迅速掌握某一种技能，抑或某一种知识。

然后期待着，某一天，可以把这些运用到生活中，然后一步，就一步，迈向自己想要的地方。

所以我们总是以为自己离想象中的生活很近。

到头来，我们离自己身处的生活，也很远。

于是，未来去不了，现下不喜欢。

是的，我想说的是，我们原本就不怎么喜欢自己的生活。

只不过在疫情到来之前，我们可以靠着眺望远方，来让自己忽略现在的生活。

五

前段时间，我读完一本书，叫《栖山节考》。

这本书的最后，作者在自述中，提到了一句话，大意如此：

我接触到了一种生活，那不是通过什么教育或者经过什么人的指导之后得出的活法，而是他们自然而然所找到的一种生活方式，是一种“泥土里生长出来的人的活法”。

这句话解决了我一直以来的一个困惑：

那就是“到底什么才叫好的活法呢？”。

这个问题其实并不是突然冒出来的，是最近有一段时间我总是有些恍惚。

因为我突然想到，五年前，六年前的我，好像从来没想过我现在的生活是这样的。

那时候的我，希望身边有很多朋友，而如今我数得出来的能够互诉衷肠不怕互相打扰的朋友，大概也就五个。

那时候的我，希望自己能去很多地方看看，最好每天都在路上，而如今的我虽然仍旧想去更大的世界看看，但已经明白，我不可能永远在路上，或者说，世界永远是很大的，永远在等着我们去发现，但生活其实是很小的，我们日常能够接触的，能够看到的，也就那么多。这就像站在山顶的人，目光所及可以很广，但更多时候，我们并不在山顶，而是在山脚下的马路边。我们依然会向往山顶，可山脚下的马路边，才是我们能够居住的地方。

也就是说：

“在山顶居住是一种活法，一种轰轰烈烈的活法，但恐怕我们中的绝大多数人，是无法住在空气稀薄的山上的。”

在更久以前，我还不懂事的年少时代，我还充满偏见的青葱岁月，“平凡”两个字是那么刺耳，以至我恍惚间产生了错觉，觉得自己永远不会平凡。

于是我陷入了对“平凡”的恐惧中，从此竭尽全力都在摆脱“平凡”。

可事实是我绕了一圈，似乎也没能真的摆脱“平凡”。

我不知道你是否也曾被类似的想法困扰着。

但如今，我似乎想通了。

我目前所能够接触到的生活，就是最好的生活。

我目前所能够到达的地方，就是最好的地方。

哪怕我如今的生活节奏和状态，是我从未设想过的，它依然是我的生活。

虽然我的身边没有了那些热闹，但我体会到了充实。

就好像从前你觉得买菜做饭多辛苦，现在却体会到了做饭的乐趣。

毫无例外，我们的人生都会产生些许的偏差。

如今你的生活，恐怕是五年前的你所设想不到的生活。

但我想你大概也感受到了从未设想过的某一种生活乐趣。

六

最后这段，写给每个觉得焦虑的朋友。

二〇二二年的四月底，我又跟编辑通了个电话。

编辑说他现在正在印厂忙活呢。

我开玩笑说了句：“看样子出版业还是很红火嘛，如火如荼。”

编辑突然叹了口气，说：“不然还能怎么办呢，书能卖一点是一点，总不能不卖了吧。”

我说：“也是。”他接着又说：“努力卖，真的很难，我们现在有的书即使下厂流程走完了，也可能会压着不给下厂。”

我问：“为什么？”

他说：“一方面想要多卖点书，所以要抓紧印刷一些看起来能卖的；另一方面，能卖的书……就那么几本，剩下的书印刷出来了，也发不出去。上海、苏州，还有你们张家港的书店应该都不开了吧？书能怎么卖呢。其实就算书店都开着，也没那么多人去了。靠网络，可有流量的作家有几个呢？即使有流量，也比不上以前了。反正就是一个字，难。”

说到这里他才发觉自己好像哪里说错了话，赶紧补一句：“你好好写，你的书还行的，已经算很不错的了。”

他平日里话很少，我一听他说这么多，反倒不知道该怎么接话了。

他听我电话里的沉默，赶忙又说了几句，或许也是对自己说的。

他说：“其实也还好，你看看二〇二〇年最开始的那三个月，那才叫惨。现在好歹还算是能正常工作，整个行业不景气，但也还没垮。以后能不能好起来谁也不知道，看看呗，我们总编说了句话，我觉得挺好：把眼前的事情做好就行了，路都是走着走着才知道能走去哪里的。”

我想是这样的。

越是焦虑，就越是要回到生活里去。

因为身处迷雾中本就很难找到方向，能看见的也就眼前的五米，那就五米五米地一步步走下去。

至于路能走成什么样，又能走去哪里……

走着走着，就都知道了。

但或许其实终点到底是哪里也不是那么重要。

重要的是，我们走了很远的路，最终找到的人，是我们自己。

是那个可以很好地应对挫折，应对痛苦，应对生活的变故的自己。

是那个依然前行，依然努力，依然能够为了小事而欣喜，为了善良而感动的自己。

是那个终于学会了珍惜的自己，是那个不再害怕平凡的自己。

生活如河，自己就是自己的船。

以上，共勉。

后记

这本书叫作《你也走了很远的路吧》。

思前想后，取了这个名字。因为我想你也走了很远的路吧，那些难过那些曲折，或许你也找不到人诉说，那么我多么希望，有个人看到了你的全部，知道你的过往，包容你的任性，对你说一句：接下来还有很远的路，但你身边有我，我陪你走一段路。

而我，也不知不觉走了很远的路。

从一座江南小城，走到墨尔本，再走到堪培拉，然后兜兜转转来到北京。

一路上不是没有迷茫过，不是没有想要放弃的念头，庆幸的是我一直坚持了下来。

我从来没想过，这样一个我，能被你们这样地爱着。

我也从来没有想过，有一天，我的书，能够到达这么远的地方。

想感谢的人有太多，想感谢的事有太多。

感谢耳机里的音乐，感谢这世上不是只有我一个人在熬夜，感谢在我这段旅途里出现的你。

我是一个任性的人，因为执意要记录生活，所以一直这么写着。

因为执意，所以认真，但如果没有遇到你，或许我有一天也会有坚持不下去的时候。

再一次，谢谢每个读到这里的你。

一个作者对读者最好的回报，就是写出更好的作品。

我或许没办法去你的生命里给你挡风遮雨，但好在我们可以在文字里相见。

希望这本书，可以给你带来一些力量，第二天醒过来，我们都满血复活，继续往前走。

我的愿望呢，其实很简单，就是当我们都逐渐老去的时候，回想起曾经一起走过的这段路，我们都可以很骄傲地说："那个叫卢思浩的作者，还不错哟。"

你也会很骄傲地对自己说一句："曾经的那个自己，也还不错哟。"

为此，我会一直努力下去，每天充满动力，沿途春暖花开。

这世界每天这么多擦肩而过，谢谢你停下脚步读懂我，读完了这本书。

我相信我们一定可以在属于自己的世界里，闪着自己的光。

如果哪天我们能再相遇，一定是因为我们成了更好的自己。

最后，祝你早安午安晚安。

© 中南博集天卷文化传媒有限公司。本书版权受法律保护。未经权利人许可，任何人不得以任何方式使用本书包括正文、插图、封面、版式等任何部分内容，违者将受到法律制裁。

图书在版编目（CIP）数据

你也走了很远的路吧 / 卢思浩著 . -- 长沙：湖南文艺出版社，2022.9（2023.8 重印）
ISBN 978-7-5726-0837-7

Ⅰ. ①你… Ⅱ. ①卢… Ⅲ. ①短篇小说—小说集—中国—当代 Ⅳ. ① I247.7

中国版本图书馆 CIP 数据核字（2022）第 156280 号

上架建议：畅销 · 文学

NI YE ZOULE HEN YUAN DE LU BA
你也走了很远的路吧

著　　者：卢思浩
出 版 人：陈新文
责任编辑：匡杨乐
监　　制：毛闽峰
策划编辑：陈　鹏
特约编辑：朱东冬
营销编辑：刘　珣　焦亚楠
封面设计：梁秋晨
版式设计：李　洁
封面插图：Fangpeii
内文插图：TCseeuLater

出　　版：湖南文艺出版社
（长沙市雨花区东二环一段 508 号　邮编：410014）
网　　址：www. hnwy. net
印　　刷：三河市中晟雅豪印务有限公司
经　　销：新华书店
开　　本：875mm × 1230mm　1/32
字　　数：226 千字
印　　张：9. 5
版　　次：2022 年 9 月第 1 版
印　　次：2023 年 8 月第 5 次印刷
书　　号：ISBN 978-7-5726-0837-7
定　　价：49. 80 元

若有质量问题，请致电质量监督电话：010-59096394
团购电话：010-59320018